LES DESSOUS DE BUCKINGHAM

Malcolm J. Barker
avec la collaboration de T.C. Sobey

LES DESSOUS DE BUCKINGHAM

Récit

Titre original : *Courting Disaster*
Traduit par Jacques Martinache

ISBN 2-258-03415-9

Note de l'auteur

Les événements décrits dans ce livre sont authentiques. Aucun nom n'a été changé ou modifié à l'exception de celui de Mr. Humphrey. Certaines libertés littéraires ont été prises en ce qui concerne les dates, les saisons, les lieux et l'ordre dans lequel les événements se sont déroulés. Pour faire comprendre plus clairement comment fonctionne la Cour de la Reine, des événements s'étageant sur plusieurs années ont été condensés sur une période de douze mois.

Palais de Buckingham

1er janvier - 15 avril

1

Il était huit heures du matin. C'était une froide journée de janvier, et la famille royale n'était pas encore rentrée de ses vacances de deux mois dans le Norfolk, à Sandringham House, où elle réside habituellement jusqu'au début février. Dans le Salon Blanc du palais de Buckingham, j'attendais l'un des officiers de la Maison Royale, un gentleman du nom de John Humphrey. Il avait pour tâche de me faire visiter le palais et de me présenter aux membres les plus éminents de la Cour de la reine Élisabeth II.

J'étais bien entendu un tantinet nerveux. Après des mois d'entretiens, le maître de la Maison Royale avait enfin pris une décision. Mais j'étais tellement ravi de ce nouvel emploi d'officier qu'au cours des libations de la veille, j'avais malheureusement bu une coupe de Veuve Clicquot de trop. Et le matin où ma carrière au palais devait commencer, je m'étais éveillé en souhaitant être mort.

Évidemment, je n'avais pas le choix, je m'en rendais compte. On n'arrive pas au palais de Buckingham pour son premier jour de travail avec une ou deux heures de retard. Cela ne se fait pas. J'avais donc décidé que j'irais au palais, un point, c'est tout. Mais je me sentais *horriblement* malade. Toutefois, à force de volonté et de courage, j'étais parvenu à mettre la machine en marche, et je me tenais maintenant dans l'une des pièces les plus exquises, les plus raffinées que j'eusse jamais vues, attendant le personnage important avec qui j'avais rendez-vous.

Seul dans le splendide Salon Blanc, je regardai autour de moi. Partout de l'or : sur les murs, les fauteuils brodés, les bureaux, le plafond surchargé, les vases. Même le pare-feu devant la cheminée était doré. Dans un coin de la pièce, je promenai les doigts sur un cabinet florentin incrusté de pierres semi-précieuses. Devant les hautes portes-fenêtres donnant sur le jardin se tenaient de gracieuses statues de marbre, de grands vases ivoire débordant de lis blancs. Au-dessus de moi, au centre même du salon, pendait un lustre de cristal à couper le souffle. Tout était d'une beauté extraordinaire.

Quand l'heure du rendez-vous fut passée, je me demandai si je ne m'étais pas trompé. Sûrement pas, pensai-je. Je continuai à attendre, mais Mr. Humphrey n'arrivait toujours pas. Une demi-heure plus tard, il ne s'était toujours pas montré et je commençais à m'inquiéter. Au bout d'une heure, je me demandais, au bord du désespoir, si tout ceci n'était pas une abominable plaisanterie et si, en fin de compte, le palais ne voulait pas de moi, quand Mr. Humphrey entra finalement dans ma vie.

Avant d'aller plus loin, je tiens à donner quelques informations sur l'homme dont je m'apprêtais à faire la connaissance. Mr. Humphrey ne ressemblait pas à l'image qu'on se fait habituellement d'un homme occupant la position élevée d'officier de la Maison Royale, d'autant qu'on le considérait aussi comme l'ami personnel de la reine. A ma connaissance, cette amitié était due en grande partie à leur passion commune pour les chevaux. La reine le chargeait régulièrement de « débourrer » certaines de ses bêtes les plus remarquables en provenance des célèbres écuries Lippizaner d'Autriche.

Acheteuse expérimentée elle-même, elle avait naturellement accès aux meilleurs conseillers en ce domaine, et Mr. Humphrey passait pour en faire partie.

Je me rappelais l'avoir vu souvent en photo dans la presse, discutant avec la reine et le duc d'Édimbourg lors d'une des nombreuses rencontres hippiques organisées en Grande-Bretagne. Je crois que sur la dernière photo que j'avais vue de lui, il était en compagnie du duc, au Concours Hippique Royal de Windsor.

Peu importe. Vous apprécierez ce préambule interminable sur un homme que vous ne connaissez pas encore lorsque je vous aurai dit ma surprise quand il arriva enfin. Pénétrant dans le Salon Blanc, une créature gargantuesque peu soignée, l'air ahuri, entreprit de traverser d'un pas traînant les tapis persans bordeaux et or, chaussé de vieilles bottes en caoutchouc alourdies de crottin !

Ce fut pour moi extrêmement étrange. Nouveau dans la Maison, je ne m'estimais pas en position de faire une remarque. Je ne pus cependant m'empêcher d'émettre un commentaire quand je découvris, à travers la superbe pièce, une traînée d'empreintes collantes s'étirant au-delà sur toute la longueur de la galerie Est, si joliment dessinée par Nash. Partout de la boue, de la paille et du fumier nauséabond semés par ce Mr. Humphrey qui s'était mis à parler, avec un accent cockney vulgaire tout aussi inattendu, de la cérémonie qui devait se dérouler au palais le lendemain.

Mr. Humphrey, je le souligne à nouveau, n'était pas un petit bonhomme. Pesant cent vingt kilos pour près de deux mètres, c'était un géant comparé à moi. Il avait le crâne planté de touffes de cheveux jaune sable dotés de cet aspect qui indique, sans erreur possible, qu'ils n'ont pas été lavés depuis quelque temps. Avec ses énormes joues rondes, ses poches plus grandes encore sous les yeux, il semblait à moitié endormi. (Je découvrirais bientôt qu'il l'était.) Comme si cela ne suffisait pas, il avait des favoris absolument remarquables. Épais, rebelles, ils descendaient en ligne courbe jusqu'aux commissures des lèvres où ils se terminaient en pointe. Il avait en outre de grandes oreilles, des pieds comme des violons, le tout rappelant un ours mal entretenu debout sur ses pattes de derrière. Je n'aurais pu imaginer personnage plus déplacé à Buckingham Palace.

Lorsque nous quittâmes les appartements royaux où vivaient la reine et la famille royale, je baissai les yeux vers les traces de pas boueuses. Nous avions fait une visite éclair. Selon moi, c'était le Salon Blanc qui avait le plus souffert, mais Mr. Humphrey avait aussi laissé des plaques de gazon dans le Salon de la Reine. Était-ce là une conduite acceptable pour un officier de la Maison Royale ? Je ne savais que penser. On ne pouvait quand même pas se pavaner dans le magnifique palais de Sa Majesté en répandant du crottin de cheval dans les couloirs de marbre et sur les tapis faits main. N'allions-nous pas avoir des ennuis ? Que devais-je dire ? Je roulai ces pensées dans ma tête endolorie jusqu'à trouver enfin une façon d'aborder le sujet avec tact.

– Mr. Humphrey, demandai-je poliment quand le moment me parut propice, avez-vous remarqué ces traces de pas en entrant ?

Comprenant vaguement de quoi je parlais, il baissa les yeux et s'exclama avec indifférence :

– Ah ! oui... Faudra que je charge quelqu'un de s'en occuper.

Comme nous retournions sur nos pas, je ne pus m'empêcher de penser que ma visite des lieux avait été quelque peu écourtée. En tout cas, elle avait été moins instructive que je ne le prévoyais. Une demi-heure pour plus de sept cents pièces ! Je connaissais à peine Mr. Humphrey, mais je commençais à me rendre compte que quelque chose n'allait pas quand nous revînmes chercher dans le Salon Blanc une serviette de cuir râpé qu'il y avait oubliée.

– Regardez cette grue, là-haut, Malcolm! dit-il en montrant le portrait de la reine Charlotte au-dessus de la cheminée.

Interloqué, je répondis à mi-voix :

– Je croyais qu'elle avait été une souveraine tout à fait respectable, en son temps.

– Hé, hé, hé! ricana-t-il. Ça, je m'en fiche, hé, hé, hé! Je me la serais bien tapée, c'est ce que je veux dire.

C'est *cela* un officier de la Maison de la Reine? pensai-je à nouveau.

J'avais été avisé que, faute de place, je partagerais temporairement un bureau avec Mr. Humphrey. Après m'avoir conduit à une pièce spacieuse du premier étage et m'avoir montré ma table, Mr. Humphrey disparut dans sa salle d'eau personnelle. Il revint deux minutes plus tard en sous-vêtements, s'installa confortablement dans un fauteuil avec une grande tasse de café, trois sachets de chips et un journal. Le *Daily Express*, je crois.

Sans la moindre gêne, l'officier de la Maison Royale exhibait un corps peu appétissant dans son bureau du palais de Buckingham. Je devais découvrir par la suite que c'était son habitude. Chaque matin, il revenait des écuries, se déshabillait dans la salle d'eau, passait une heure environ en maillot de corps taché et troué, à manger, à donner des coups de téléphone. Puis, juste avant dix heures, il sortait un costume marron fripé qu'il rangeait par terre dans le placard.

Le téléphone sonna tandis que j'écoutais et que je regardais Mr. Humphrey se goinfrer bruyamment. J'avais de nouveau mal à la tête. A la douzième sonnerie, il tendit un bras grassouillet, décrocha d'un air bourru. « Allô ? » grogna-t-il en plongeant la main dans un paquet de chips goût bacon qu'il venait d'ouvrir. Dès le début de la conversation, il apparut que les traces de pas avaient été découvertes (probablement par un laquais passant par là) et qu'on s'efforçait de réparer ce que le correspondant de Mr. Humphrey considérait comme un grave faux pas de la part de quelqu'un du palais. Selon certaines rumeurs, cet individu était John Humphrey, Esquire. La discussion prit un tour animé.

– Comment je saurais d'où elles viennent, ces traces ? répliqua Humphrey sur la défensive. C'est pas mon problème. Quelqu'un qui avait les pieds sales, sûrement, hé, hé, hé !

Mais il finit par comprendre la gravité de la situation puisqu'il fallut faire appel au Service de l'Environnement, chargé de toute la maintenance à l'intérieur du palais, et qu'un représentant du gouvernement s'occupait déjà de l'affaire. On expliqua à Mr. Humphrey que les dégâts subis par le Salon Blanc étaient une catastrophe, qu'il ne suffisait pas de prendre un balai et une pelle pour nettoyer. Certains tapis d'une valeur inestimable avaient été gravement endommagés.

Venu à bout du contenu du dernier sachet de chips, Mr. Humphrey, vêtu uniquement de ses sous-vêtements, je le rappelle, se leva et nia avec colère toute responsabilité dans les mystérieuses traces de pas.

– Écoutez, Bill, je peux vraiment pas vous aider. Si j'entends quoi que ce soit, je vous donne un coup de fil. C'est tout ce que je peux faire.

Là dessus, il raccrocha brutalement et se gratta l'entrejambe.

– Mmmm, fit-il, pensif, j' crois qu'il est temps que je me change.

A voir ses sous-vêtements, il était grand temps, en effet.

A ce moment précis, la porte s'ouvrit sur un homme à l'air abruti qui, à ma grande surprise, était encore plus imposant que Mr. Humphrey.

– Bonjour, Peter, lui dit Humphrey d'un ton aimable. Comment tu vas, ce matin ?

– Oh, j' me sens mal foutu, grommela le monstre avec un accent cockney lui aussi.

– Désolé de l'apprendre. Une nuit arrosée, peut-être ?

– Non, j'ai pas eu de nuit arrosée, rétorqua l'homme en regardant nerveusement autour de lui comme s'il avait oublié la raison de sa venue. J'ai pas encore bu un scotch de la journée, bon Dieu!

Et il ressortit.

– Qui était-ce? m'enquis-je avec curiosité.

– Oh, c'est le chef-cuisinier de la reine, hé, hé, hé! Il est en route pour le bar du palais, hé, hé, hé!

Il était neuf heures et demie du matin.

A dix heures, je fis la connaissance de Sir Peter Ashmore, maître de la Maison de la Reine, responsable de cette partie cruciale du palais depuis 1973. Il était membre d'un groupe de cinq ou six personnes – la Maison – composant le cercle des conseillers les plus proches de Sa Majesté et comprenant, outre Sir Peter, des hommes comme le comte de Westmorland, Lord Maclean, Sir Rennie Maudsley et Sir Geoffrey DeBellaigue.

J'appartenais au service des officiers qui exécutaient les ordres de la Maison. Nous étions leurs assistants, la salle des machines de Buckingham, pour ainsi dire, chargés de satisfaire les besoins de la reine et de la famille royale de toutes les façons concevables. Huit officiers environ dirigeaient plus de cent cinquante domestiques du service portant le nom de Personnel.

Ce Personnel était régi par un ordre hiérarchique précis auquel chacun adhérait strictement. Le gardien de l'Argenterie, par exemple, exerçant un pouvoir totalitaire sur quatre serveurs à peine pubères, poussait des cris outragés dans tout le palais si on ne l'appelait pas *Mister* Fletcher.

Mes fonctions, trop diverses pour que j'en dresse une liste précise, allaient du détail infime aux questions les plus graves. Exemple de la première catégorie, le jour où, peu après mon entrée au palais, on servit à Sa Majesté ce qu'elle pensait être ses noisettes préférées. Elle découvrit avec horreur que ce n'était pas du tout ce qu'elle attendait et les renvoya aux cuisines.

– Dites, je vous prie, au gentleman chargé des repas que je ne veux pas de noisettes d'Australie ! déclara-t-elle à son valet de pied.

On apprend vite dans la Maison Royale que seules des noisettes d'Hawaii sont admises à la table de la reine !

De toute évidence, cela n'est pas de nature à ébranler le monde, mais à l'autre bout de l'éventail de mes responsabilités, je faisais partie des cinq hommes du pays autorisés à pénétrer dans les appartements personnels de la reine quand elle n'y était pas. Ce groupe exclusif comprenait le comte de Westmorland, Lord Maclean, Sir Peter Ashmore, Mr. Michael Tims et moi-même.

Quand mon travail le nécessitait, je me faisais conduire en ville dans l'une des dix Jaguar de la reine, immatriculées « BP », avec des numéros de 1 à 10. Je me rendais par exemple dans une boutique pour choisir de nouveaux tissus muraux qui, pensais-je, pourraient recevoir l'approbation de Sa Majesté.

Je me rappelle qu'un jour je téléphonai chez un marchand de tissus à qui nous ne nous étions encore jamais adressés, et j'annonçai à une personne du magasin que je désirais commander certains articles et ouvrir un compte. D'ordinaire, les commerçants étaient tout excités d'avoir la clientèle du palais de Buckingham, d'autant qu'il leur était possible d'obtenir le titre de fournisseur attitré au bout de trois ans. Toutefois, quand je voulus ouvrir un compte dans ce magasin, on me répondit cavalièrement qu'on ne ferait rien pour moi avant d'obtenir une référence bancaire – une référence bancaire pour la reine d'Angleterre ! Inutile de dire que nous nous adressâmes ailleurs.

L'une de mes fonctions les plus contraignantes consistait à m'occuper des laquais de la reine, qui réclamaient continuellement mon attention soit pour leurs horaires soit – le plus souvent – pour leurs problèmes de conduite. Ils appartenaient eux aussi au Personnel. Tout en bas de l'échelle, il y avait les nettoyeurs de toilettes, les factotums et les femmes de chambre. Au milieu, les pages, les valets et les laquais qui se chargeaient de toutes sortes de tâches, depuis promener les six corgis de la reine jusqu'à la servir à table et s'occuper de son linge. Au sommet, des hommes ayant accumulé des années de service comme le sergent des Laquais, l'intendant du Palais, le chef royal. Aux échelons intermédiaires, autant de titres que de bijoux de la couronne, avec des noms anciens sonnant magnifiquement comme le Gardien de la Porcelaine et de la Verrerie, l'Habilleuse de la Reine.

Il fallait s'occuper des réceptions et des banquets, des investitures et des visites officielles, des garden-parties et des audiences, ainsi que des innombrables autres cérémonies se déroulant chaque semaine au palais. Je recevais en outre le programme quotidien de la reine et de chaque membre de la famille royale. Si, par exemple, un ambassadeur devait rencontrer Sa Majesté, je me postais à la grande entrée pour l'accueillir avant qu'on ne le conduise à la reine.

2

Je commençais à me familiariser avec le fonctionnement du palais quand la reine et le duc d'Edimbourg rentrèrent du Norfolk, début février, et ma vie à la Cour commença alors vraiment. C'est aussi aux alentours de cette date que je pus enfin trouver seul mon bureau sans avoir l'embarras de demander mon chemin.

Un matin, à dix heures et demie, le chef royal se présenta devant la Salle d'Audience de Sa Majesté où je discutais avec le secrétaire particulier de la Reine, Sir Philip Moore. Nous parlions de préparatifs de dernière minute pour la visite du roi de Norvège quand nous fûmes brutalement interrompus.

– 'jour, 'jour, marmonna le chef d'un ton irrité.

– Vous ne pouvez pas entrer, Mr. Page. Sa Majesté n'est pas encore prête à vous recevoir.

Sir Philip toisa le cuisinier avant de me redonner toute son attention. Deux minutes s'écoulèrent ; le secrétaire de la reine dit avec un geste cérémonieux :

– Vous pouvez y aller, maintenant, Mr. Page.

Le chef leva les yeux au plafond, entra dans la salle, claqua la porte derrière lui. Ces deux-là ne débordent pas d'amour l'un pour l'autre, supposai-je.

Dans la salle, le chef royal s'assit sur l'une des chaises dorées tendues de soie disposées près de la reine. La pièce vert pâle où elle recevait son cuisinier chaque matin à la même heure était gaie, claire, et offrait une vue ravissante sur Constitution Hill et Green Park. C'était là qu'ils discutaient des menus du jour ainsi que des dispositions pour d'importantes réceptions à venir. Leur entretien pouvait par exemple porter sur un déjeuner avec des amis, la visite d'un des ambassadeurs à Londres, un banquet donné en l'honneur d'une personnalité importante, comme c'était le cas pour la visite du roi de Norvège.

La reine n'est pas tenue de veiller à des questions aussi terre à terre, bien sûr, mais lorsqu'elle réside au palais, elle n'y manque jamais. Comme d'autres maîtresses de maison, Sa Majesté s'intéresse à ces détails car elle y prend un vif plaisir, peut-être parce que c'est l'une des rares décisions qu'on lui laisse prendre seule. A la différence de la grande majorité des personnes de l'entourage d'Élisabeth II, le chef royal n'est pas désigné par le gouvernement.

Il était énorme, il n'y a pas d'autre mot. Deux mètres de haut, cent trente-cinq centimètres de tour de poitrine, autant de tour de taille, plus de cent quarante kilos. Il écrasait de sa masse la reine et toutes les autres personnes du palais, à l'exception de Mr. Humphrey, un tout petit peu moins grand seulement. Agé de soixante ans, le chef royal était quasiment chauve, avec des mèches d'un brun grisâtre sur les côtés et l'arrière de la tête. Sa mise était généralement des plus débraillées.

Des bourrelets de graisse cascadaient de la mâchoire de son visage massif et écarlate. Sa panse était si volumineuse, elle aussi, que lorsqu'il s'asseyait, il descendait la fermeture à glissière de sa braguette pour soulager un peu la pression en s'exclamant : « Oh ! ça va mieux. » Bien qu'il s'abstînt de le faire en présence de la reine, vous pouviez être sûr que sous son tablier blanc de cuisinier, qu'il portait pour venir la voir, la situation était la même. Il se curait le nez en public, fumait sans arrêt et émettait des rots alarmants. J'ai souvent frémi à l'idée que quiconque – sans parler de la reine d'Angleterre ! – ait à rencontrer un tel phénomène.

Sur instruction de Sa Majesté, un grand scotch attendait toujours le chef royal et un valet de pied posté à proximité remplissait le verre tant que durait la réunion. En vingt minutes de discussion, le cuisinier avalait généralement deux whiskies tassés pour l'aider à se concentrer, et lorsque l'entretien se prolongeait, trois ou quatre verres étaient nécessaires. Comme il n'y avait pas toujours autour de lui des laquais s'empressant de le resservir, le chef portait une petite flasque dans sa poche revolver, assurant ainsi un ravitaillement continu où qu'il se trouve dans le palais. Il était bien rare qu'une odeur de scotch n'accompagne pas le chef royal dans son entretien avec la reine.

Malgré ses défauts, Mr. Page parvenait à se maintenir à son poste et Élisabeth II voyait même en lui un des plus éminents membres du personnel. Elle l'emmenait toujours avec elle à l'étranger pour un voyage ou une visite officielle, et il préparait ses repas quand elle n'assistait pas aux réceptions.

Sa Majesté a des goûts et des dégoûts précis. En terre lointaine, elle préfère retrouver au dîner le menu qu'on lui sert chez elle. Cette pratique contribue aussi à la protéger de microbes virulents qu'on risque d'attraper dans certaines régions du monde. Le chef royal est donc toujours là, et il faut reconnaître que son talent de cuisinier lui permettrait de rivaliser avec n'importe quel chef d'un grand restaurant londonien.

– Mr. Page, dit le secrétaire particulier au cuisinier quand celui-ci ressortit et claqua à nouveau la porte derrière lui, je vous ai demandé plusieurs fois de fermer sans bruit la porte de la reine.

Page s'arrêta, lança à Sir Philip un regard mauvais, but une rasade à sa flasque d'argent puis repartit d'un pas lourd sans dire un mot.

Nommé secrétaire particulier de la reine à la fin des années 1960, Sir Philip Moore était l'image même de l'homme qu'on s'attend à trouver à un poste qui passe pour le plus important du palais. Homme d'allure élégante et aristocratique d'une soixantaine d'années, Sir Philip s'acquittait à la perfection de ses devoirs. J'apprendrais par la suite qu'il alliait, qualité rare, la ferveur à l'efficacité discrète. Exactement ce qu'il fallait pour de hautes fonctions comme les siennes.

Bien que la reine n'eût pu être plus satisfaite de la façon dont son secrétaire remplissait sa tâche, il était notoire au palais que leurs relations se limitaient au plan professionnel. Désigné par le gouvernement, le secrétaire particulier est un des nombreux proches de la souveraine sur lequel elle n'a aucun pouvoir, et souvent les rendez-vous pris sont à l'opposé des souhaits de Sa Majesté.

Sir Philip s'occupait des affaires de la reine avec un adjoint et une dame âgée qui était sa secrétaire. Ses fonctions consistaient principalement à organiser le programme quotidien de la reine ainsi qu'à s'occuper de toute sa correspondance. Il jouait un rôle si important que personne au palais ne voyait la reine sans l'autorisation de son secrétaire. Seul membre de la Maison Royale échappant à cette règle, Michael Shea, responsable des relations publiques de Sa Majesté.

Sir Philip entra dans la Salle d'Audience de la Reine et

je pris la direction de mon bureau. J'empruntai le couloir de la Reine, descendis l'escalier du Ministre, traversai le hall de Marbre, montai le Grand Escalier, m'engageai dans la galerie Est et débouchai finalement dans le couloir du maître de la Maison Royale où se trouvait mon bureau. Rehaussé d'un tapis rouge et d'exquis cabinets en teck, ce couloir menait aux huit autres bureaux du service du maître de la Maison Royale. Il m'avait fallu plusieurs semaines pour le trouver facilement.

3

Un matin de début mars, juste avant midi, le téléphone sonna dans mon bureau de l'aile sud que je partageais encore avec Mr. Humphrey. C'était un appel urgent du policier de la reine de garde à l'entrée principale. Le roi de Norvège, m'informait-on, errait comme une âme en peine dans le Grand Hall, pouvais-je venir tout de suite?

Apparemment, personne au palais ne s'était souvenu que le roi devait arriver ce matin-là sur l'invitation de la reine. Je prévins en toute hâte divers services, me précipitai dans le couloir, dévalai l'escalier et découvris le roi faisant les cent pas sous le regard scrutateur du policier qui mordait voracement dans un sandwich au fromage.

Vieillard de belle allure, le monarque était vêtu d'un costume deux-pièces sombre et ressemblait beaucoup à un homme d'affaires de Londres si l'on faisait abstraction de ce surcroît de dignité qui va de pair avec le sang royal. De sa canne délicatement sculptée, il tapotait le marbre recouvert d'un tapis rouge du Grand Hall, marchant de long en large, quelque peu désorienté, voire déconcerté, me dis-je, par le peu d'attention dont il était l'objet. Car enfin, c'était le roi de Norvège, l'un des meilleurs amis de la reine d'Angleterre!

Refoulant le sentiment d'horreur que suscitait en moi cette bévue consternante, je résolus de veiller à ce que plus rien ne vienne provoquer son désarroi. Avec un sourire de plaisir sincère, j'accueillis chaleureusement Sa Majesté.

– Si vous voulez bien excuser ce retard, Sire, je crois que nous avons un léger problème au palais aujourd'hui. Cela ne se produit pas d'habitude. J'espère que vous accepterez mes plus sincères excuses.

Le roi parut à la fois serein et étonné.

– Aucune importance, déclara-t-il, royal.

Avec un petit haussement d'épaules, il ajouta :

– Je peux me rendre seul à ma chambre, si vous voulez. Je suis venu ici souvent, vous savez.

– C'est très aimable à vous, Sire, mais je vais vous y conduire. Encore une fois, je suis terriblement désolé.

Le roi me suivit et se montra accommodant à propos de l'incident. Ce fut un soulagement. J'eus même l'impression qu'il était presque amusé mais peut-être fut-ce un effet de mon imagination. Chassant mon appréhension, je le menai à l'ascenseur de la reine, montai avec lui au premier étage, traversai la galerie des Tableaux et le Salon Vert pour parvenir à une suite donnant sur les jardins. Le roi occuperait cette fois la Suite Belge, vaste appartement au mobilier ravissant comportant trois chambres, cinq salons, une salle d'audience, cinq salles de bains et une piscine.

On avait multiplié les détails raffinés, en particulier dans la chambre principale où dormirait le roi Olaf. Dans sa somptueuse salle de bains de marbre, il trouverait douze flacons d'eau de Cologne en cristal, chacun avec une chaîne en or et une plaque précisant son contenu.

Le souverain posa sa serviette sur le lit surchargé d'ornements au-dessus duquel était accroché *La ferme de Laeken*, de Pierre Paul Rubens, acquis par George IV en 1821. Sur le mur opposé, un Rembrandt signé en 1603.

Sa Majesté se tourna vers moi.

– Quel est votre nom, jeune homme?
– Malcolm... Malcolm Barker, Sire.
– Malcolm... Malcolm, répéta-t-il d'un air pensif. Vous êtes nouveau ici, n'est-ce pas?
– C'est exact, Sire.
– Eh bien, Malcolm, je me souviendrai de vous appeler si le besoin s'en fait sentir.
– Oui, bien sûr, Sire, ligne 273. Une fois de plus, je vous prie d'excuser ce désagrément...
– Oh! ne vous en faites pas pour cela, me dit-il. La dernière fois que je suis venu, il a fallu deux fois plus longtemps pour que quelqu'un descende s'occuper de moi.

Le roi de Norvège était effectivement déjà venu au palais.

Après m'être assuré qu'il était bien installé, je me rendis droit au bureau du sergent des Laquais de la Reine pour m'informer de la raison pour laquelle il n'avait envoyé personne accueillir le roi à son arrivée. Autant dire à Mrs. Thatcher, le Premier ministre, quand elle se présentait pour son entretien hebdomadaire avec la reine, que Sa Majesté n'était pas là, pouvait-elle repasser plus tard? Cela ne se faisait pas.

Le sergent m'expliqua que les deux valets de pied affectés au roi de Norvège avaient été découverts soûls et profondément endormis dans leur chambre où, apparemment, ils avaient tous deux une préférence pour le même lit. Il débita cette vilaine histoire les lèvres tremblant de peur, manifestement conscient que l'affaire était assez grave pour lui coûter son poste. Me jurant que cela ne se reproduirait plus, il exprima l'espoir que cet incident isolé serait pardonné.

– Je ferme les yeux pour cette fois puisqu'il semble que vous n'ayez rien pu faire, mais à l'avenir, vous veillerez, j'y compte, à ce que vos garçons soient à leur poste bien avant qu'on ait besoin d'eux.
– Bien sûr, Mr. Barker. Vous avez ma parole.

Me tournant vers la porte, j'ajoutai :

– J'espère pour vous que le roi n'en parlera pas à la reine. S'il le fait, je ne pourrai rien pour vous, vous savez.

Par chance pour le sergent, le roi n'en parla jamais.

Tout le palais était désormais absorbé par la visite du roi de Norvège. J'étais assis à mon bureau, encombré, comme d'habitude, d'une montagne de paperasse – la mienne, augmentée d'une partie croissante de celle de mon collègue, Mr. Humphrey. Outre le courrier extérieur apporté le matin et l'après-midi, il y avait quatre autres arrivées de courrier interne par jour en provenance des autres résidences principales de Sa Majesté au Royaume-Uni. Mr. Humphrey jetait à présent sans vergogne toutes ses lettres sur mon bureau dès leur réception et comptait sur moi pour m'en charger. Il recevait régulièrement des lettres adressées à tort à « Mr. John Humphrey, écuyer de la Couronne », ou « Mr. John Humphrey, maître de la Maison de la Reine », dans lesquelles il ne voyait qu'une « erreur naturelle » « anodine ». Je n'en étais pas si sûr.

Ce fut à peu près à cette époque que je décidai de faire remarquer avec tact à Mr. Humphrey que ma part du fardeau semblait excessive par rapport à la sienne. J'abordai le sujet avec précaution :

– John ? Il se passe quelque chose de curieux, ici.

Il leva les yeux de son journal, mordit dans un biscuit au chocolat McVities.

– Comment ça, curieux, Malcolm ?

– Si je puis être tout à fait franc, j'ai l'impression de faire presque tout le travail, et ce n'est pas très drôle, je vous assure.

– Hé, hé, gloussa-t-il, c'est vrai. A vous le boulot, à moi le plaisir !

Et il reprit sa lecture. Je me rendis compte qu'il faudrait essayer une autre tactique.

Le téléphone du bureau de Humphrey émit une succession de courtes sonneries ; je décrochai, entendis une requête familière :

– Mr. Humphrey, Malcolm, je vous prie.

– Si c'est pour moi, je suis parti déjeuner, murmura l'obèse en gagnant la porte.

Je m'exécutai de mauvaise grâce :

– Je crains qu'il soit en train de déjeuner, Mr. Tims.

– Déjeuner ? Il est deux heures et demie passées !

Tims raccrocha. Cette fois, il ne marchait pas.

Petit bout d'homme approchant la soixantaine, Mr. Michael Tims, adjoint du maître de la Maison de la Reine, tentait de diriger notre service comme si nous étions tous de jeunes aides comptables de l'époque de Charles Dickens. La façon dont il exerçait ses fonctions au palais n'était pas des plus douces. Entré à la Maison quelque trente ans plus tôt, il ne pouvait espérer grimper plus haut que son poste actuel d'adjoint de Sir Peter Ashmore. Non seulement, il n'était guère aimé dans le palais, mais la reine elle-même lui vouait une antipathie farouche pour la simple raison qu'elle le trouvait arrogant et tout à fait incompétent.

Quelques années avant mon arrivée, Tims, atteint d'une dépression nerveuse, avait dû prendre un long congé. Après sa convalescence, il revint au palais, et bien qu'on le présumât complètement rétabli, il donnait souvent l'impression d'être à nouveau sur le point de craquer. Il passait une grande partie de sa journée à donner des coups de téléphone pour l'organisation *Christian Science* dont il était un membre dévoué et un collecteur de fonds enthousiaste.

Chacun savait que l'une des principales causes de l'état mental de Mr. Tims, c'était mon collègue Mr. Humphrey. Pour dire les choses abruptement, il empoisonnait l'existence de Tims. Car bien que son dossier débordât de blâmes et d'avertissements officiels, Humphrey jouissait d'une telle faveur au sein de la famille royale que rien de ce qu'il pouvait faire, aucune violation grave du règlement ou même de la loi ne provoquait son renvoi.

Circonstance aggravante, Mr. Humphrey s'endormait

fréquemment pendant les réunions. Lorsque, piquant du nez, il sombrait dans un profond coma, Tims l'en tirait d'un :

– MISTER Humphrey ! Vous nous écoutez ?

– Oh ! ouais, ouais, Mr. Tims. Je vous écoute, répondait le géant qui se secouait pour sortir de sa torpeur.

– Êtes-vous d'accord qu'il faille redorer la Salle de Bal de la Reine au château de Windsor, Mr. Humphrey ?

– Oh, *absolument*, Mr. Tims, *absolument*. Peux pas être plus d'accord avec vous là-dessus. En fait, j'y pensais moi-même.

L'expression de Tims refroidissait l'air ambiant. A ses yeux, Humphrey lui gâchait la vie.

Songez par exemple au sentiment de frustration que Tims dut éprouver au fil des ans devant un homme que non seulement Sa Majesté appréciait mais qui, selon Tims, était tout à fait incapable de la servir. Aussi Tims demeurait-il à l'affût, déterminé à le prendre en flagrant délit d'une faute si affreuse que le palais n'aurait d'autre choix que le relever sur-le-champ de ses fonctions. L'unique problème, c'était que ce moment de gloire pour Tims semblait toujours juste hors de portée.

4

Le roi de Norvège partit après une visite de quatre jours sans problème.

Je venais de reconduire la princesse Alexandra à sa voiture après un déjeuner sans façon avec Sa Majesté et le prince Charles. L'idée que le prince se fait du « sans façon », c'est un costume droit. Dans notre bureau, Mr. Humphrey dormait tandis que je m'occupais à faire du rangement dans les classeurs bourrés et en désordre que j'avais hérités à mon arrivée. C'était un travail de longue haleine. Dans un des classeurs, je trouvai plusieurs paquets de chips vides ; dans l'autre, l'une des plus grandes et des plus malodorantes chaussettes que j'avais jamais eu le malheur de rencontrer.

La porte s'ouvrit tout à coup. Mr. Tims entra dans la pièce d'un petit air triomphant pour découvrir Mr. Humphrey vautré dans son fauteuil favori, dormant toujours à poings fermés. Il est fichu, pensai-je. Cette fois, il ne parviendra pas à s'en sortir.

– Mr. Humphrey ! aboya Tims. Qu'est-ce que vous faites dans ce fauteuil ?

Humphrey se redressa, regarda autour de lui, un peu ahuri.

– Oh ! oh, oh... Mr. Tims, qu'est-ce que vous faites ici ?

– Mr. Humphrey, la question, c'est ce que *vous* faites ici, répliqua Tims, rageur, pointant un doigt accusateur vers le fauteuil de cuir rouge.

– Oh, hem, en fait, Mr. Tims, je m'accordais une petite pause. J'ai été très occupé aujourd'hui. J'ai passé ma journée au téléphone pour les chemises blanches des nouveaux laquais.

– Mr. Humphrey, je ne m'intéresse pas pour le moment aux histoires de chemise. Je veux savoir ce que vous faites au juste dans ce fauteuil que vous avez volé au garde-meuble de la reine. Sa Majesté ne vous paie pas pour dormir, elle vous paie pour travailler. Pourquoi ne travaillez-vous pas ?

– Ben..., vous voyez, Mr. Tims, comme je disais, la journée a été dure, et j'ai pensé que je pouvais prendre quelques minutes pour reposer mes yeux fatigués avant de téléphoner à nouveau au tailleur. Je comprends vraiment pas pourquoi Sa Majesté tolère des gens pareils. Vous savez ce qui leur prend depuis quelque temps ?

Mr. Humphrey s'efforçait de changer de sujet.

– *Mister Humphrey*. Vous ne répondez pas à ma question, fit Tims, les dents serrées. Je sais que vous dormiez dans ce fauteuil alors que vous auriez dû être au travail à votre bureau, et rien de ce que vous direz ne me détournera de cette conviction. Mettez-vous au travail, maintenant, et soyez certain que je noterai l'incident dans votre dossier. En fait, vous passerez à mon bureau dans cinq minutes.

Sur ce, Tims sortit en claquant la porte.

Une demi-heure plus tard, Mr. Humphrey réintégra le bureau, l'air accablé. Je me sentis obligé de lui demander ce qui s'était passé pour qu'il soit aussi abattu.

– Oh, Tims m'a passé un savon et a menacé de me virer si j'ai un autre blâme, répondit-il tristement.

– C'est terrible, compatis-je. Il faudra que vous vous surveilliez, dorénavant.

– C'est pire que ça, mugit-il, au bord des larmes. Il m'a ordonné de me débarrasser de mon fauteuil !

Comme Tims l'avait annoncé, deux factotums vinrent le lendemain avec pour instructions d'emporter le fauteuil. Mr. Humphrey était atterré et, je dois l'avouer, je ne pus m'empêcher d'éprouver un peu de pitié pour lui. Ce devait être fort humiliant et il se montra inhabituellement silencieux dans les jours qui suivirent. Des liens étroits s'étaient manifestement noués au fil des ans entre le fauteuil et l'homme, qui ne se remettait pas de cette perte.

– Y me manque, vraiment, ce fauteuil, Malcolm. C'est pas juste. Foutu Tims ! gémissait-il plusieurs fois par jour.

Une semaine plus tard, alors que Tims prenait un de ses congés et que Humphrey devenait responsable de la Maison de la Reine, le fauteuil réapparut mystérieusement dans notre bureau, d'où il ne bougea plus.

5

Je reçus un coup de téléphone de Sir Peter Ashmore.

– Allô, Malcolm ? Ici Sir Peter. Le prince Andrew vient

de m'appeler, il a besoin d'un coffre pour ses appartements. Je lui ai dit que vous vous en occuperiez.

– C'est entendu, Sir Peter, tout de suite, répondis-je.

Il était toujours avisé de se montrer le plus obséquieux possible avec les conseillers de la reine. Je laissai Humphrey occupé à ajuster une bride sur son bureau.

Le prince avait effectivement besoin d'un coffre et après deux semaines d'investigations, de mesures et de discussions, il finit par choisir le modèle exact qu'il voulait. Quand on le livra au palais, j'envoyai deux factotums âgés et leur ordonnai de monter le coffre aux appartements du prince. Je les retrouvai devant la porte de la suite, récemment redécorée selon les directives personnelles du prince. Les pièces autrefois élégantes et majestueuses sombraient à présent dans une mer de violet, d'orange et de vert. Cela ressemblait davantage à la résidence d'un hippy fumeur d'opium qu'à celle du second fils de la reine.

Le prince Andrew vint examiner le coffre de plus près. Pendant tout le temps qu'il passa dans son salon, les porteurs ahanaient, grognaient, exprimaient leur mécontentement de l'autre côté de la porte. Ils n'appréciaient pas du tout la corvée que je leur avais infligée.

– Z'auriez dû nous dire qu'il était sacrément lourd, ce coffre, Mr. Barker, lâcha soudain l'un d'eux, hors d'haleine. On serait venus à quatre. Je vais pas me déglinguer le dos pour ce foutu morveux de prince!

– Powers, dis-je d'un ton désapprobateur, surveillez votre langage en présence d'un officier de la Maison de la Reine, surtout quand il s'agit d'un membre de la famille royale.

On entendit le prince appeler de son salon.

– Non, non, j'ai changé d'avis, marmonna-t-il en sortant de sa suite. Malcolm, faites-le enlever, je vous prie. Je n'en veux pas, finalement.

– Oh, hum... oui, bien sûr, Votre Altesse. Désirez-vous que je vous en trouve un autre?

– Non, je ne veux pas qu'on m'embête avec cela maintenant, répondit-il d'un ton ferme. Emportez-le!

Et il se dirigea d'un pas vif vers l'aile de sa sœur, au bout du couloir. Deux semaines de travail pour rien.

– Eh bien, vous avez entendu, les gars. Vous devez faire disparaître ce coffre avant le retour du prince.

– Foutu marlou, geignit Powers.

En redescendant le coffre à la remise, les deux hommes ne cessèrent de grommeler et de se plaindre de leur vie épouvantable. Je fus heureux d'échapper à leur détestable compagnie et de passer à la salle à manger des officiers pour une tasse de café dont j'avais grand besoin.

Je ne vis pas beaucoup le prince Andrew pendant mes premiers mois au palais. La plupart du temps, il était à l'École Navale et ne rentrait à Buckingham que pour les vacances. Lorsqu'il résidait au palais, il se montrait extrêmement difficile. Il menaçait et rudoyait ceux qui le servaient, en riait ensuite en compagnie de ses amis. Il n'avait cure de ce que pensaient les autres – pas même sa mère!

Alors qu'il était encore célibataire, il faisait venir des femmes dans ses appartements à peu près tous les soirs de la semaine. Les sauteries, les beuveries duraient jusqu'au petit matin, et le plus souvent, la dame qu'il recevait passait la nuit dans la chambre du prince. Ayant une longue liste de petites amies régulières, il n'en manquait jamais.

J'eus l'une de mes premières expériences de la conduite du prince un soir qu'il donnait un dîner pour douze de ses amis de Navale. La soirée, qui se déroulait dans la salle à manger d'apparat, commença à dégénérer quand Son Altesse jeta des poignées de légumes à ses camarades assis autour de la table. Encouragés, ils ripostèrent. Puis le prince se dit qu'il serait amusant de voir la réaction des valets s'il les bombardait avec son dîner. A la fin, les livrées étaient tachées de haut en bas de sauce et de vin. Plus ils buvaient, plus le prince et ses amis chahutaient, et ils finirent par lancer de magnifiques verres sur les toiles inestimables ornant les murs, semant dans toute la salle une pagaille indescriptible.

Sa Majesté fut rien moins que ravie lorsqu'elle apprit la conduite de son fils et elle le tança sévèrement le lendemain. On ne nota toutefois aucun changement dans l'attitude du prince.

De toute la famille royale, c'est du prince Edward que je devins le plus proche, et bientôt il commença à m'appeler personnellement quand il désirait que quelque chose soit fait. Étant l'un des plus jeunes Officiers du palais, j'étais plus proche du jeune prince par l'âge et je crois qu'il trouvait plus facile de s'adresser à moi qu'à un de mes collègues plus âgés et plus « institutionnalisés ».

6

En traversant l'or et le rouge de la galerie Est, je tombai sur un groupe de six factotums tentant de décrocher du mur un immense tableau. Apparemment, Sa Majesté avait décidé de le remplacer par une autre toile actuellement à la remise. Repérant Ged Powers, l'employé qui s'était déjà plaint à moi, j'éprouvai une certaine appréhension et résolus de superviser l'opération.

Les six hommes débattirent entre eux de la meilleure méthode à employer puis se mirent en place pour ce qui se révéla bientôt comme la plus déplorable « Comédie des Erreurs ». Comme ils s'apprêtaient à ôter du mur ce tableau très célèbre et très grand, je remarquai avec effroi que Powers, le plus âgé des factotums, n'était pas très assuré sur ses jambes et avait le regard vitreux. Soudain il lâcha prise, et malgré ses efforts pour le rattraper, le chef-d'œuvre s'abattit sur le sol avec un bruit sourd horrifiant.

Nous nous reculâmes tous.

Il y avait, au centre de la toile, un trou de la grosseur d'une balle de cricket. Powers avait passé son poing au travers ! Mon ulcère me tirailla méchamment quand je me rendis compte de l'ampleur de la catastrophe. Non seulement c'était un des tableaux préférés de la reine, mais il était l'œuvre d'un artiste relativement connu – Rembrandt – et considéré comme irremplaçable !

La reine fut furieuse. Pour sa défense, Powers expliqua qu'il était déprimé parce que sa petite amie, avec qui il vivait au palais, l'avait quitté. Afin qu'il se remette de cet incident traumatisant, on lui accorda six semaines de congés payés, croyez-le ou non !

7

– Venez avec moi, Mr. Tims, ordonna la reine. Je veux que vous commandiez de nouveaux papiers peints pour ma suite. Sir Peter m'a informée que les travaux doivent prendre fin bientôt et je tiens à ce que cela aille vite. Nous avons suffisamment souffert du bruit et de la pagaille depuis que la rénovation a commencé, il y a plusieurs mois.

– Oui, Majesté, fit Tims d'un ton mielleux. (Il rassembla nerveusement les échantillons qu'il avait apportés pour lui montrer, franchit la porte derrière elle.) Je crois que les couleurs que j'ai déjà notées vont dans le sens de ce que vous cherchez, Majesté.

– Je n'en doute pas, répliqua sèchement la souveraine. Je tiens simplement à m'assurer que vous savez exactement ce que je veux, Mr. Tims, pour que nous soyons débarrassés au plus tôt de tout ce désordre. Vous me comprenez ?

Mr. Tims n'était pas à la fête. Comme ils descendaient tous deux le couloir de la Reine vers l'endroit où j'inspectais les récents efforts des plâtriers, je ne pus retenir un élan de commisération pour Tims. Certes, il était détesté d'à peu près tout le monde au palais mais il avait tenté de s'amender. Malheureusement, « tenter » ne suffit pas quand on travaille pour la famille royale. Les choses doivent être parfaites du premier coup, et en ce qui concernait Sa Majesté, Mr. Tims n'avait plus droit depuis longtemps à une seconde chance.

– Bonjour, Malcolm, me lança la reine d'un ton plaisant.

Avec plus de froideur, elle dit au maître-adjoint :

– Veillez à ce que ce soit bien fait, Mr. Tims. Je ne veux pas d'erreur.

Je m'éloignai pour les laisser discuter de motifs et de couleurs. Quand ils eurent terminé et que la reine eut regagné le sanctuaire de ses appartements, je m'approchai de Tims qui notait des références de l'un des catalogues de papiers peints. Il ne voulait pas courir le risque de se tromper, cette fois.

Deux semaines plus tard, je reçus un coup de téléphone de Sir Peter.

– Malcolm ? Venez immédiatement à mon bureau. Si vous tombez sur Mr. Tims, demandez-lui de venir aussi.

Je sortis, croisai Tims dans le couloir du maître de la Maison de la Reine.

– Sir Peter veut nous voir tous les deux tout de suite, annonçai-je en l'entraînant.

– Je me demande pourquoi, marmonna-t-il, perplexe.

Dans son bureau très officier de marine, un Sir Peter dans tous ses états nous invita à nous asseoir.

– J'ignore ce qui s'est passé entre vous et Sa Majesté, Mr. Tims, mais elle m'a téléphoné il y a un instant, elle veut vous voir là-haut. Je suggère que nous y allions tous puisque vous vous êtes occupés tous deux de cette histoire de décoration.

A notre arrivée, nous fûmes accueillis par un monarque à la mine pincée.

– Mr. Tims, qu'est-ce que c'est que ce papier sur mes murs ? demanda-t-elle, pointant un index rageur.

– Majesté, c'est celui que vous m'avez chargé de commander il y a deux semaines. Il ne vous plaît pas ?

– S'il ne me plaît pas ? fit Élisabeth II, de cette voix suraiguë qui lui avait valu au palais le surnom de « *Squeaky Liz* * ». Ce n'est pas du tout ce que je voulais. Vous vous êtes encore trompé, Mr. Tims !

Tims prit la couleur du talc.

– Non, Majesté, je vous assure que j'ai noté les références comme vous le souhaitiez. C'est Malcolm qui s'est adressé à la fabrique de papiers peints. Malcolm, j'ai peur que vous n'ayez commis une erreur.

Tous les yeux se tournèrent vers moi.

Feuilletant hâtivement une liasse de reçus et de commandes que j'avais emportée, je trouvai le document en question, le comparai à celui que Tims m'avait transmis.

– Non, désolé, Mr. Tims, j'ai seulement commandé ce que vous m'avez demandé. Regardez, c'est votre écriture, n'est-ce pas ?

La reine ne décolérait pas.

– Mr. Tims, ce n'est pas Malcolm le fautif, c'est vous ! Encore vous ! C'est ce motif que j'avais choisi ! s'écria-t-elle, tendant le doigt vers le catalogue que je tenais ouvert. Maintenant, il faudra attendre deux semaines de plus pour qu'on nous l'envoie. Merci beaucoup de votre aide, Mr. Tims, mais je demande à Sir Peter de s'occuper dorénavant lui-même de cette question.

La reine s'éloigna, bouillonnant de colère.

8

Peu après ce petit épisode, je reçus une invitation à dîner de l'aumônier de la reine, le chanoine Anthony

* Liz la Couineuse. *(N.d.T.)*

Caesar. L'après-midi avait été particulièrement chargé, et vers quatre heures et demie, je dis au revoir à Humphrey en me dirigeant vers la porte.

– Où vous allez, Malcolm ? beugla l'obèse, téléphone à la main.

– L'aumônier de la reine m'invite à dîner ce soir, alors je pars un peu plus tôt. Fort aimable à lui, vous ne pensez pas ?

– En effet. Amusez-vous bien, Malcolm, et à demain.

Comme j'approchais de la porte, je crus entendre rire derrière moi. Qu'y avait-il de drôle dans une invitation à dîner du chanoine Caesar, sous-doyen des Chapelles Royales et adjoint de l'évêque de Londres ? Rien de désopilant dans tout cela, à coup sûr.

Lorsque j'arrivai au palais St James ce soir-là à sept heures, je trouvai le chanoine plein d'entrain... et d'alcool.

– Entrez, mon beau, fit-il avec effusion en m'accueillant à la porte de son appartement de Friary Court. Qu'est-ce qu'un joli garçon comme vous fait dehors par ce temps exécrable ?

Ce n'était pas exactement ce à quoi je m'attendais.

Nous bavardâmes un moment devant un verre ou deux puis nous passâmes deux heures à dîner sans hâte. Nous avions naturellement abordé le sujet de la reine et de Buckingham Palace, et le chanoine avait commencé à me narrer plusieurs de ses histoires les plus mémorables. Après l'excellent repas que Caesar avait préparé lui-même, il décida que le moment était venu de passer au salon pour les alcools. Il me sourit, baissa la lumière.

– Cognac, Malcolm ? proposa-t-il, posant un flacon de cristal et deux verres sur l'élégante table à cocktails.

– Non, merci. Je crois que j'ai assez bu pour ce soir. D'ailleurs, je ne vais pas tarder à vous quitter, je dois me lever tôt demain.

– Non, non, vous ne pouvez pas partir maintenant. Nous nous amusons tellement, vous et moi.

Il servit deux verres bien tassés, m'en tendit un.

– C'est très gentil, Révérend, mais je ne ferai qu'y tremper les lèvres, m'excusai-je. Je dois réellement prendre congé.

Un coup d'œil à ma montre m'apprit que l'heure à laquelle j'avais prévu de rentrer était passée depuis longtemps.

– Malcolm, j'insiste. Dormez ici, si vous voulez.

Il s'assit à côté de moi, vida son verre.

– C'est très aimable à vous, je le répète, mais à cette heure-ci, je suis déjà couché, d'habitude, et je tiens à être dispos demain matin...

Je me levai du sofa, gagnai le vestibule.

– Malcolm, revenez! cria-t-il derrière moi. Vous ne pouvez pas partir dans cet état. Passez la nuit ici!

Je nouai mon écharpe en prévision du froid extérieur quand soudain le chanoine fut derrière moi.

– Vous ne pouvez pas vous en aller! clama-t-il. (Il me prit par la taille, me poussa contre le mur). Je ne vous laisserai pas partir!

Il me fit tourner et avant que je me rende compte de ce qui m'arrivait, il me planta sur les lèvres le baiser le plus mouillé que j'aie jamais reçu à ce jour.

– Révérend! m'écriai-je, hors d'haleine, toujours collé contre le mur. Je veux rentrer chez moi, et si vous ne me laissez pas partir immédiatement, je me verrai contraint de casser une fenêtre.

A regret, le chanoine relâcha son étreinte d'une fermeté surprenante et ouvrit la porte. Grâce au ciel, je pus m'en aller.

Le lendemain matin, alors que le souvenir (et le goût) de cette rencontre n'était que trop vif dans ma mémoire, le chanoine Caesar entra précipitamment dans mon bureau, claqua la porte derrière lui. Humphrey avait téléphoné un peu plus tôt pour prévenir qu'il prenait la journée.

– Malcolm, commença l'homme d'Église, je suis navré

pour hier soir. Je n'avais jamais fait une chose pareille, j'ai affreusement honte. Me pardonnerez-vous jamais ?

Comme la veille, il portait son habit noir d'ecclésiastique. Il était vraiment jeune et charmant avec ses cheveux noirs coupés court mais avait des yeux marron extrêmement pénétrants. Il me parut plus petit que dans mon souvenir, un mètre soixante-dix environ, et ses mains aux veines saillantes tremblaient tandis qu'il attendait ma réponse. Il semblait triste, torturé par un remords authentique.

– Bien sûr, Révérend. Ces choses-là arrivent quand on a un peu trop bu. C'est oublié.

Je pensais que ma réaction l'inciterait à partir.

– J'espère que vous êtes sincère, Malcolm. Reviendrez-vous dîner chez moi ?

Il s'assit au bord de mon bureau, poussa son bas-ventre vers moi. J'ignorais alors que le chanoine avait cette habitude – pousser son pelvis en avant, veux-je dire – et pour un aumônier, il portait un pantalon des plus succincts.

– Volontiers, répondis-je. Vous êtes un merveilleux cuisinier.

– Bien... bien, fit-il un peu trop vite. Pourquoi pas ce soir ?

– Ce soir ? Je ne crois pas que...

– Bon, alors, c'est entendu. Vers huit heures.

Il partit avant que je ne puisse protester.

J'étais consterné par ma stupidité. Normalement, je n'aurais pas même envisagé une autre rencontre avec lui, mais j'étais nouveau au palais, et Caesar était quand même l'aumônier de la reine. Je ne sais trop pourquoi je fus surpris, ce soir-là, de me retrouver dans les bras du chanoine Caesar, sur son sofa, et je me promis d'accepter à l'avenir avec un peu moins d'enthousiasme les invitations à dîner de l'aumônier de la reine.

A onze heures moins le quart le lendemain matin, Humphrey entra dans le bureau à grands pas.

– Z'avez passé une bonne soirée avec le Révérend, l'autre jour ? me demanda-t-il en souriant. Pas la peine de me raconter. Il en a probablement assez de mettre les valets de pied dans son lit.

Le rire qu'il retenait explosa.

Une heure plus tard, je revenais des appartements de la reine où j'étais allé inspecter, comme chaque jour, les objets d'art disposés dans les cabinets Buhl. C'était là qu'on gardait certaines des pièces les plus précieuses des collections de Sa Majesté, dont un bon nombre avaient été réunies par la reine Mary.

– Ah ! vous v'là, Malcolm. Qu'est-ce que vous pensez de ça ? me demanda Humphrey.

Avant même que je referme la porte du bureau, il me tendit une lettre adressée à un chef comptable de l'administration. C'était en réponse à une lettre que ce monsieur avait envoyée au sujet d'un parapluie oublié au palais après une réception diplomatique donnée par la reine.

Cher chef-%omptable,

Pas de chance jusqu'ici. Continuerons à chercher.

Samutations, John Humphrey

J'exprimai carrément mon opinion :

– John, vous ne pouvez l'envoyer comme cela.

– Pourquoi pas ? grogna-t-il, agacé, en se grattant vigoureusement le sommet du crâne.

– Je ne devrais pas avoir à vous le dire. On ne répond pas de cette manière. En plus, il y a des fautes de frappe et le texte n'est même pas centré.

– Donnez, marmonna-t-il en me reprenant la lettre. C'est un foutu pédé, de toute façon.

La lettre fut cachetée, mise dans la corbeille du courrier en partance.

Le lendemain matin, il pleuvait à verse, et quand je vis Humphrey arriver avec un somptueux parapluie noir, l'idée me vint que je ne l'avais jamais vu avec un pépin. Ce n'était pas du tout son genre.

– Bel objet que vous avez là, John. Je ne l'avais pas remarqué.

– Bien sûr que non, glousssa-t-il. L'un des valets me l'a rapporté la semaine dernière.

– John ! Il appartient probablement au chef comptable qui vous a écrit. Vous ne pensez pas que vous devriez le lui rendre ?

– Ben, sûrement pas, déclara-t-il en secouant l'objet de notre discussion au-dessus de mon bureau. Il avait qu'à faire plus attention. Il tombe à pic, ce pépin. Ça me va bien, vous ne trouvez pas ?

Le parapluie ne fut jamais restitué en dépit des nombreux appels de la secrétaire du chef comptable expliquant à Mr. Humphrey l'importance de l'objet. Même lorsqu'elle précisa que c'était un cadeau de la mère de son chef, récemment décédée, Humphrey demeura de marbre.

– Si sa mère est morte, elle verra pas la différence, hé, hé, hé, s'esclaffa-t-il de bon cœur après le coup de téléphone.

9

A l'approche de Pâques, je reçus un matin au palais un colis envoyé du Yorkshire par ma mère. Ayant une journée chargée devant moi, je n'eus que le temps de l'ouvrir et de jeter un coup d'œil à son contenu : six gros œufs de chocolat noir Suchard, de vingt-cinq centimètres sur quinze, une douzaine d'œufs pralinés plus petits dont ma mère savait que je raffolais. Je rangeai la boîte, quittai le palais pour mon travail.

La reine avait prêté un tableau à la Tate Gallery pour une exposition. Chaque fois que nous prêtions une œuvre d'art de grande valeur, je devais veiller à ce qu'elle soit retournée en parfait état à la résidence royale dont elle provenait.

De retour au palais, deux heures plus tard, je constatai avec une vive contrariété que ma boîte d'œufs de Pâques avait été éventrée, que des morceaux de papier d'emballage et de carton jonchaient le sol du bureau. Je marchais sur les débris en me demandant ce qui s'était passé. Des six gros œufs il ne restait que quatre, et le nombre des petits était passé de douze à six. Qui avait pu faire une chose pareille? J'aperçus alors du papier d'emballage dépassant de la corbeille du bureau de Mr. Humphrey puis découvris autour, en regardant de plus près, les restes des deux œufs manquants. Il n'a quand même pas englouti deux œufs de vingt-cinq centimètres, me dis-je pour me rassurer. Tout ce chocolat l'aurait rendu malade.

Mon collègue revint quelques minutes plus tard.

– John, savez-vous où sont passés mes œufs de Pâques? Il en manque deux.

– Ouais, bien sûr. Je les ai mangés.

– C'était un cadeau de ma mère. Je voulais les garder pour moi.

– Vous les voulez tous pour vous? Vous en viendrez jamais à bout!

– Là n'est pas la question, John. Ils sont à moi, je peux en faire ce que je veux.

– J'ai pas tout mangé, quand même.

– Je vois, mais il en manque... huit!

– Tant que ça? Me suis pas rendu compte.

– John, je dois vous dire que je ne suis pas du tout content. D'ordinaire je suis toujours prêt à rire de n'importe quoi mais je ne vois rien de drôle dans le fait qu'on a ouvert un colis qui m'était destiné, acheminé avec le courrier de la reine, en plus, et que son contenu a été pillé. Je suis réellement très fâché.

Je remis dans la boîte le papier que ma mère y avait placé avec amour pour en protéger le contenu, à savoir MES ŒUFS DE PAQUES. Ce qu'il en restait, je le rangeai sous mon bureau. Me rendant compte qu'il ne servait à rien de continuer à me lamenter sur le cadeau de ma chère mère, je m'assis et plongeai la tête dans la montagne de paperasse qui menaçait en permanence d'envahir tout mon bureau.

Conscient de ma colère, Mr. Humphrey alla se préparer un café dans un coin de la pièce. Quelques instants plus tard, il s'approcha de moi d'un air penaud. J'attendis les excuses qui allaient sortir de sa bouche, je n'en doutais pas.

– Malcolm... ? commença-t-il d'un ton hésitant, je peux reprendre un œuf ?

10

– Salut, Freddie ! lança Mr. Humphrey au petit bout de femme à la poitrine volumineuse qui entra dans notre bureau sans frapper. Qu'est-ce que tu fais ici ?

– J' suis venue me faire inviter à déjeuner, trésor, répondit-elle.

L'obèse eut un sourire ravi.

– Tout de suite, je suis à toi dans une seconde.

– Bonjour, Freddie, dis-je au personnage que j'avais appris à connaître au cours des trois mois précédents.

Ses gros seins s'animèrent d'une vie propre, compensant un peu sa petite taille – un mètre soixante. Avec son visage maquillé à l'excès, ses hautes bottes en similicuir, elle m'avait fait l'impression d'une tapineuse le jour où on me l'avait présentée – une tapineuse qui semblait en mal de clientèle. Toutefois, il apparut bientôt que c'était la mystérieuse Freddie avec laquelle j'avais entendu mon collègue bavarder si souvent au téléphone pendant mes premiers jours au palais et que j'avais prise pour sa femme.

– Allons-y, ma petite rose rouge, ronronna Mr. Humphrey en endossant sa veste fripée.

Il lui fit signe d'approcher, ils partirent la main dans la main.

Si nombre d'entre vous sont tout excusés d'avoir supposé le contraire, Freddie n'appartenait pas aux services de la Maison de la Reine. Mrs. Freddie Gentle ne figurait sur aucune fiche de paie du palais. Non, Freddie était la petite amie de Humphrey, une femme qu'il avait draguée au *MacDonald* de Regent Street pendant un déjeuner prolongé – comme tous ses déjeuners. Depuis, elle se faisait un devoir d'accomplir une partie considérable du travail de Mr. Humphrey (du peu qu'il restait).

Après un déjeuner copieux et une bonne partie de jambes en l'air à l'arrière de la voiture de Humphrey dans Battersea Park, ils revenaient au palais vers trois heures de l'après-midi et Humphrey installait Freddie devant la machine à écrire avec ses instructions sur le travail à fournir. Puis il lovait sa gigantesque carcasse dans son fauteuil préféré et s'endormait.

Il y eut une scène très vive le jour où Mr. Tims apparut inopinément sur le seuil de la porte et découvrit Freddie assise au bureau de Humphrey, tapant sans s'occuper de l'homme qui la regardait avec des yeux incrédules.

– Hhhm! fit Tims, se raclant la gorge pour essayer d'attirer son attention.

Aucun résultat.

– Hhhmm! Hhhmm! fit-il plus fort.

Toujours en vain.

– Excusez-moi, madame! dit-il alors d'un ton pincé.

– Ouais? Qu'est-ce que vous voulez? répondit-elle sans lever les yeux de la machine.

– Madame, j'aimerais pour commencer savoir exactement ce que vous faites dans ce bureau.

– Ben, je tape à la machine, tiens, dit-elle d'une voix geignarde avant de faire éclater une bulle de chewing-gum d'un rose brillant.

– Écoutez, madame, vous savez parfaitement ce que je veux dire. Pourquoi êtes-vous dans ce bureau? Vous n'avez rien à y faire, n'est-ce pas?

– Je travaille pour Mr. Humphrey, et si vous arrêtez pas de m'embêter, j'aurais jamais fini.

Le teint du maître-adjoint virait au violet sombre lorsqu'il découvrit Humphrey assoupi dans son fauteuil.

– Mr. Humphrey! beugla-t-il en direction du corps bienheureusement endormi. Réveillez-vous!

Mon collègue bondit sur ses pieds et bredouilla :

– Oh, M-Mr. Tims, qu'est-ce que vous faites ici?

– La question, c'est ce que cette femme fait *là*! vociféra le maître-adjoint en tendant un index manucuré vers le bureau. Elle ne fait pas partie de nos services, elle ne devrait même pas être ici!

– Oh! c'est ma petite amie, vous voyez, Mr. Tims. Elle m'aide un peu dans mon travail.

– Je le vois, Mr. Humphrey, mais c'est *votre* travail; c'est *vous* que je m'attends à trouver derrière ce bureau quand je viens ici, pas une inconnue! Nous ne pouvons pas laisser n'importe qui entrer dans le palais, se promener dans nos bureaux. Il y a des documents confidentiels, ici. Cette femme doit vider les lieux immédiatement et vous, dans mon bureau... tout de suite.

Pas tout à fait réveillé, Mr. Humphrey éprouvait quelque difficulté à saisir ce qui se passait. Avant de sortir, Tims ajouta :

– Je suis certain que Mrs. Humphrey serait intéressée d'apprendre que vous avez maintenant une *petite amie* qui vous aide au palais.

Freddie, qui ignorait apparemment que son John était marié, s'arrêta cette fois de taper.

– Hé! dis donc! s'écria-t-elle avec colère, agrippant la cravate jaune tachée de Humphrey et le tirant vers elle, qu'est-ce que c'est que cette histoire de *Mrs.* Humphrey, hein?

Château de Windsor

16 avril - 15 mai

1

Le président Reagan souriait d'une oreille à l'autre en attendant que Nancy, sa femme, sorte de l'hélicoptère qui venait de se poser dans les jardins du palais. Bien que la reine et le duc fussent partis la veille pour le château de Windsor, où ils donneraient un grand banquet pour les Reagan, il est de tradition d'accueillir d'abord au palais de Buckingham un chef d'État en visite. En cette occasion, j'avais été chargé de souhaiter officiellement la bienvenue au couple au nom de Sa Majesté. Je m'avançai tandis que le président et la Première dame des États-Unis s'éloignaient des pales de l'appareil.

– Monsieur le Président... Madame la Présidente... pardon, Mrs. Reagan, commençai-je. (Mon Dieu, comment as-tu pu sortir une chose pareille ? me reprochai-je *in petto*.) Au nom de la reine...

Je serrai la main du président et de sa femme. Se retournant pour regarder l'hélicoptère qui décollait du sol, Mr. Reagan déclara :

– C'est sûrement le plus grand héliport que j'aie jamais vu. Ha ! Ha ! Ha !

Personne ne rit, pas même Nancy.

2

Assis à l'arrière de la Jaguar argent immatriculée « BP 3 », je feuilletai le programme de la visite officielle de deux jours au château de Windsor. C'est la résidence favorite de la reine, toujours contente de quitter son palais à Londres, qu'elle et son mari considèrent comme leur bureau. Les visites officielles ne sont cependant pas les seules occasions pour Sa Majesté d'utiliser Windsor. Chaque vendredi vers deux heures de l'après-midi, la Rolls Royce n° 1 de la reine franchit les grilles du palais pour un paisible week-end là-bas. Le trajet dure une demi-heure environ, et je ne tarderais pas moi-même à arriver au château.

Ce n'était pas la coutume de recevoir les dirigeants politiques ou des souverains régnants ailleurs qu'à Buckingham mais Sa Majesté et le président américain ayant une passion commune, à savoir les chevaux, il semblait logique d'inviter les Reagan à Windsor. En fait, c'est un grand honneur d'être invité ailleurs qu'au palais de Buckingham, et Windsor s'imposait certainement davantage que le jour où la reine Beatrix des Pays-Bas était venue en visite. Celle-ci avait insisté pour donner un banquet en l'honneur d'Élisabeth II à Hampton Court – l'une des résidences de la reine! Sa Majesté avait trouvé la requête assez étrange, mais il ne faut pas vexer un homologue de sang royal. La reine Beatrix débarqua des Pays-Bas avec plus d'une centaine de domestiques et s'installa à Hampton Court, comme elle l'avait demandé. Sa Majesté (britannique) ne fut pas impressionnée. Le protocole lui interdisant cependant de dire quoi que ce soit à la souveraine étrangère, elle s'accommoda jusqu'au bout du curieux arrangement.

La reine, le duc, Lord Maclean et Sir Peter Ashmore se trouvaient au château pour accueillir les Reagan. A leur arrivée, on échangea les poignées de main traditionnelles mais Nancy se refusa à faire la révérence. Après avoir posé quelques instants pour les photographes de presse, le groupe se retourna pour entrer dans le château. Normalement, à ce moment particulier, c'est le chef d'État qui marche devant avec la reine, l'épouse suivant derrière avec le duc. Mais Nancy passa devant son mari, s'empara du bras du prince Philip et l'entraîna vers le château, devant la souveraine! Interloquée, irritée, la reine suivit, sans nul doute pour éviter à Mr. Reagan tout embarras. Sa Majesté et le président avancèrent donc quelques pas derrière Nancy et le duc!

Plus tard, quand la reine et son mari se retrouvèrent seuls, on entendit Élisabeth lui glisser!

– Cette femme! Pour qui se prend-elle?

3

Plus tard encore dans l'après-midi, je décrochai le téléphone de mon bureau au château.

– Oui, allô?

– Mr. Barker? fit la voix inquiète de la standardiste de Windsor. Il y a eu un petit accident.

– Quelle sorte d'accident? demandai-je, alarmé.

– Une femme vient d'appeler d'une cabine pour annoncer qu'elle vient de découvrir une voiture dans la rivière.

– En quoi est-ce que cela nous concerne? Dites-lui de prévenir la police.

– Elle l'a déjà fait, les policiers lui ont dit d'appeler le château.

– Pourquoi? fis-je, intrigué.

– Parce que, quand ils sont allés là-bas voir ce qu'ils pouvaient faire, le monsieur dans la voiture s'est présenté comme l'écuyer de la Couronne. Je crois que c'est Sir John Miller, Mr. Barker!

C'était lui.

Sir John Miller régnait sur les Écuries Royales situées derrière Buckingham Palace. Bien qu'on considère qu'elles font partie du palais, elles forment presque un village à elles seules. Elles abritent les Rolls Royce et les Jaguar de Sa Majesté, sa vaste collection de chevaux gris et bai, tous les attelages royaux, et les centaines d'autres véhicules qu'elle possède.

Quand je commençai à servir la reine, Sir John faisait partie de la vie royale depuis plus de trois décennies et approchait de la retraite. Outre qu'il dirigeait les écuries, il était aussi écuyer de la Couronne, ce qui faisait de lui l'un des plus influents conseillers de la souveraine. A soixante-dix ans passés, c'était un homme de belle allure : mince, nanti d'une abondante chevelure d'un blanc de neige et d'une moustache assortie, aussi aristocrate qu'on peut l'être. L'écuyer de la Couronne, comme il aimait qu'on l'appelle, avait des yeux bleus pétillants et possédait l'art de s'habiller impeccablement. Comme certains membres de la famille royale, il avait les jambes sensiblement arquées à cause de son goût immodéré du cheval.

Sir John était l'un des nombreux proches d'Élisabeth II qui vivaient à une autre époque, un temps où si vous étiez membre de la Maison Royale, on faisait tout pour vous, même conduire! En conséquence, il était enclin à laisser son esprit musarder quand il roulait dans sa Jaguar, alors qu'il aurait dû concentrer toute son attention sur la route et son volant. C'était sans nul doute la cause de sa petite mésaventure.

J'expédiai une équipe d'hommes du château qui, à leur arrivée, découvrirent Sir John assis tranquillement dans sa voiture à demi recouverte par l'eau de la Tamise. Au moment où il aurait fallu tourner à droite dans un virage difficile, l'esprit de Sir John se dirigeait apparemment en ligne droite. Il accueillit l'officier de police et l'équipe de sauvetage par ces mots :

– Zut ! On dirait que j'ai quelques ennuis.

– Qu'est-ce qui s'est passé, monsieur ? s'enquit le policier, perplexe.

– Comment le saurais-je, mon ami ? Demandez à la voiture. C'est elle qui m'a fourré là.

Sir John sortit de sa Jaguar qu'il confia aux soins de l'équipe du château, du policier et d'un service local de dépannage. Une autre Jaguar que j'envoyai de Windsor ramena l'écuyer de la Couronne.

– Faites vérifier ce véhicule, jeune homme, ordonna Sir John au chauffeur d'un ton sévère. Il ne marche pas.

– Qu'est-ce que je dois dire qu'il a, Sir ?

– Comment ? fit l'Écuyer, dont l'esprit vagabondait à nouveau.

– Qu'est-ce qui ne va pas dans la voiture, Sir ?

– Je l'ignore totalement, mon ami. Si je le savais, je n'aurais pas fini dans l'eau, non ?

Les ennuis de Sir John n'étaient pas terminés. Plus tard dans la journée, son secrétaire entendit un appel à l'aide en provenance du bureau de l'écuyer. Il se précipita dans la pièce, découvrit Sir John se débattant sous un tableau qui s'était décroché du mur. Le secrétaire s'approcha en courant, l'aida à se débarrasser de l'œuvre d'art lourdement encadrée qui pesait sur son dos et le maintenait plaqué contre son bureau.

– Ooooh ! criait Sir John d'un ton dramatique. Enlevez-moi cette chose, je vous prie ! Ooooh ! Je n'aime pas cela du tout. S'il vous plaît, à l'aide !

Sir John ne passait pas un moment très agréable et il fallut de longues heures, plusieurs bouillottes chaudes et une visite du médecin de la reine pour l'aider à surmonter sa frayeur.

4

Autre membre éminent de la Maison de la Reine, le lieutenant-colonel Blair Stewart Wilson arriva à Windsor pour le grand banquet, pénétra dans l'ascenseur de la reine à l'entrée principale du château. Les vieilles grilles se refermèrent lentement, la cage s'ébranla, monta, s'arrêta un peu avant le premier étage. Le colonel attendit une trentaine de secondes puis, l'ascenseur ne donnant aucun signe de vouloir bouger, il appuya sur les boutons. Tous les boutons. Sans résultat.

Deux ou trois minutes s'écoulèrent. Lorsqu'il devint évident pour le colonel qu'il était pris au piège, il appela avec réticence, voire répugnance, en direction du hall désert.

– Ohé... Ohé... Il y a quelqu'un en bas? J'ai besoin d'aide! Ho! Je veux sortir d'ici... Sapristi! qu'est-ce que je vais faire, maintenant?

Quelques minutes plus tard, j'entendis les cris du colonel en passant dans le hall. Malheureusement il fallut deux heures pour trouver le seul homme qui pût réparer cet ascenseur spécial et trois quarts d'heure de plus pour en faire sortir le colonel. Pendant tout ce temps, il ne cessa de se plaindre et même après sa libération, il marmonna en montant l'escalier :

– Qu'est-ce qu'il se passe? Je ne comprends rien au monde moderne.

5

Le lendemain matin, la reine devait faire une promenade à cheval avec le président Reagan tandis que le duc traverserait le Grand Parc en compagnie de Nancy pour lui faire essayer l'attelage à quatre qu'il conduirait dans le prochain Concours Hippique Royal de Windsor.

Dans la cour, Sa Majesté attendait patiemment sur sa monture tandis que le président bavardait interminablement avec la presse. Des hordes de photographes et de reporters avaient littéralement établi leur camp dans les jardins plusieurs jours avant l'arrivée de Reagan. Maintenant que le président était là, le bruit et la pagaille avaient empiré.

La reine continuait à attendre que le président cesse de parler. Elle n'était pas du tout ravie de la façon dont les Américains avaient envahi son château. Elle avait certes accepté que la sécurité soit renforcée pendant le séjour du couple présidentiel mais ne se doutait pas que ce serait aussi insupportable. Des agents secrets disséminés dans le château occupaient toutes les chambres libres (et même quelques-unes du Personnel), procédaient à des essais antimouchards à intervalles réguliers dans la journée et constituaient un fardeau extrêmement lourd pour tous ceux qui travaillaient au château. Mais les collaborateurs et les membres des services de sécurité accompagnant le président s'en fichaient. Ils se montraient odieux envers le Personnel, en particulier les valets de pied et les femmes de chambre, et pour ajouter aux misères de tous, ils étaient allés jusqu'à faire installer des centaines de lignes téléphoniques supplémentaires avant leur arrivée. Comme l'un des collaborateurs de la Maison Blanche l'expliqua à la reine, « le président doit être au courant de ce qui se passe à chaque instant aux États-Unis. » A chaque instant, peut-être, mais c'était plutôt à chaque fraction de seconde.

La reine attendait devant le château de Windsor. Non, elle n'était pas du tout contente. Elle n'était pas sortie pour parler aux journalistes mais dans le but explicite de monter à cheval, et c'était exactement ce qu'elle allait faire. Les lèvres pincées, elle tira sur la bride et dirigea sa monture dans une autre direction. Sa patience était à bout.

Le président Reagan n'avait pas conscience, semblait-il, qu'on ne fait pas attendre la souveraine pour s'occuper d'autre chose. On doit se rappeler qu'elle est la reine.

Pendant toutes les années passées à la tête de la Maison de Windsor, Sa Majesté n'a jamais rencontré quelqu'un comme Ronald Reagan, j'en suis certain. Bien qu'elle eût manifestement un faible pour lui, il était tout à fait différent des autres dirigeants qu'elle recevait.

Sentant soudain que quelque chose n'allait pas, Mr. Reagan finit par décider de mettre fin au blabla. Plein d'appréhension, il se lança à la poursuite de la reine, sourit d'un air ridicule quand il la rattrapa.

Pendant ce temps, Nancy paraissait très mal à l'aise dans la calèche que le duc faisait tourner dans le parc, lui expliquant en détail le concours de conduite d'attelage auquel il participerait le lendemain. La pauvre Mrs. Reagan n'avait même jamais entendu parler de ce fichu sport et ne le trouvait pas terriblement fascinant. Eh oui, qui fascine-t-il hors des frontières anglaises ?

6

Le début du mois de mai comporte une date importante dans le calendrier royal : le Concours Hippique Royal annuel, organisé au Home Park de Windsor. Pendant trois folles journées, les spectateurs de cette manifestation « à ne pas manquer » se rassemblent et donnent libre cours à leur engouement pour des épreuves aussi palpitantes que les Championnaux nationaux de Conduite d'Attelage et de Gymkhana. Parmi les concurrents de ces courses haletantes figurent invariablement des géants du sport équestre tels que le duc, Sir John Miller et Mr. John Humphrey. Il est donc toujours recommandé d'arriver tôt pour éviter d'être pris dans la désagréable ruée sur les bonnes places.

Toutefois, le Concours Hippique Royal de Windsor est aussi bien davantage. Grande réception qui réunit de nombreux membres de la famille royale et de leur Maison, il attire toujours beaucoup de monde. Par malheur, Windsor n'est pas l'endroit de la planète le plus indiqué pour avoir du beau temps au début du mois de mai, aussi le concours est-il fréquemment interrompu par la pluie et reporté.

Cela ne décourage cependant pas la majorité des invités, et la grande tente de l'enceinte royale où l'on sert des rafraîchissements accueille invariablement nombre de vaillants officiers et membres de la Maison de la Reine à la soif inextinguible. Moins chanceux, les spectateurs de la pelouse doivent se contenter de bière chaude dans des gobelets en plastique et de sandwiches au jambon sans goût, ou déambuler parmi les stands offrant des articles aussi tentants que meubles de jardin, ours en peluche et barbe à papa.

Cette année-là, j'y assistai sans être de service et savourai le spectacle.

N'ayant jamais remporté le championnat de conduite d'attelage, Mr. Humphrey avait décidé de faire un effort accru pour la gloire et le premier prix tant convoité. Dans les six mois qui précédèrent l'épreuve, il passa une grande partie de ses précieux loisirs à construire un nouvel attelage amélioré. Ce passionné de cheval consacra des centaines d'heures de son temps, et de celui qu'il devait à la reine, pour réaliser ce projet ambitieux.

Deux semaines avant le concours, sa tâche était achevée, il était ravi du résultat. Il traça alors dans le Grand Parc de Windsor un parcours d'obstacles qu'il effectua deux fois par jour avec son attelage de chevaux gris. Finalement, il déclara à tous qu'il était satisfait de ses préparatifs. Dans son bureau du palais, un halo de confiance entourait son fauteuil tandis qu'il dormait pour se remettre de ses efforts. J'étais impressionné : on n'écarte pas d'un revers de main une telle assurance.

Je me mis à attendre le championnat avec impatience car le duc d'Édimbourg engageait un nouvel attelage de chevaux bais de Cleveland, et Sir John Miller renouait avec la conduite d'attelage pour l'occasion.

Bien que le temps fût au vent et à la pluie le jour du concours, je m'installai tôt sur mon siège de l'enceinte royale, juste après avoir vu l'infortunée duchesse de Grafton, maîtresse de la Garbe-robe de la Reine, se faire éclabousser d'eau boueuse quand un concurrent un peu trop fougueux fit passer son attelage dans une grande flaque devant elle. La duchesse n'eut pas une réaction d'extrême satisfaction et quitta le Home Park en trombe, réduisant d'une personne l'entourage de la reine. Quelqu'un dans l'enceinte royale cria derrière son dos : « Bien fait pour cette vieille poseuse ! »

En consultant mon programme, je remarquai avec joie que la conduite d'attelage était l'une des premières épreuves et devait commencer à onze heures et demie après le captivant concours de dressage en cours. Je réprimai un bâillement, regardai en direction de la loge royale où la reine, semblant partager mon opinion sur le spectacle, préférait converser avec Lord Porchester, son entraîneur, dans l'espoir, sans nul doute, de l'entendre assurer que son écurie recelait des vainqueurs potentiels pour les courses d'Ascot, le mois prochain.

Derrière la reine, le prince Edward lisait un livre, et la princesse Margaret lorgnait le grand cocktail qu'on posait près d'elle.

– Bonne idée, dis-je à mon compagnon, et je me dirigeai vers le bar.

Je ne m'attardai pas à siroter mon verre car j'entendis annoncer que le concours d'attelage était imminent. Maintenant, pensai-je, l'atmosphère apathique se dissipera à mesure que montera la tension dans la foule impatiente de voir ses héros favoris accomplir leurs incomparables exploits.

Les deux premiers concurrents montrèrent l'exemple à suivre en faufilant adroitement leur calèche et leurs quatre chevaux entre les poteaux, franchissant dans un grand éclaboussement une étendue d'eau profonde d'un mètre, passant ensuite à la partie cross-country, formée de terrain accidenté, de buttes peu commodes et enfin d'une zone boisée pleine de traîtrise. Cette dernière est un secteur difficile du parcours, où plus d'un éminent conducteur d'attelage a versé en tentant de couper trop court autour de gros arbres aux racines sortant de terre.

Vint ensuite le premier des Trois Grands, Sir John Miller. Le septuagénaire s'était retiré de la compétition dix ans plus tôt puis avait à l'évidence décidé que ses nombreux admirateurs méritaient d'apprécier une fois de plus ses redoutables capacités. Le vieux maître serait-il encore à la hauteur ? Avait-il payé un trop lourd tribut au grand âge ? Était-il suffisamment remis de la blessure au dos qu'il s'était faite quelques jours plus tôt ? En tout cas, il avait choisi pour atteindre son objectif quelques-uns des plus magnifiques chevaux des écuries royales, et pour augmenter ses chances, il s'était galvanisé grâce à plusieurs bonnes rasades de son whisky préféré.

Lorsqu'il se présenta, je fus déçu que son apparition dans l'arène ne provoquât pas d'ovations délirantes, mais je mis cette tiédeur sur le compte de la tension. Les mains jointes, la reine semblait en effet implorer l'aide divine tandis que le vénérable gentleman dirigeait son véhicule de manière un peu hésitante vers la ligne de départ, souriant aimablement en direction de la loge royale.

Sir John prit un mauvais départ. En essayant de faire passer son attelage entre la première série de poteaux, il laissa tomber les guides de sa main droite, si bien que les deux couples de chevaux tentèrent de partir dans des directions opposées. Trois poteaux tombèrent. Luttant pour reprendre le contrôle de son attelage, Sir John fit une nouvelle embardée et abattit quatre autres poteaux, perdant en même temps son haut-de-forme tendu de soie. Le murmure qui monta de la foule ne fit rien pour l'aider. Il se retourna, brandit furieusement son fouet vers le laquais qui se tenait derière lui sur la plate-forme du véhicule.

Émergeant de la zone des poteaux, l'attelage de Sir John se reforma et parcourut deux cents mètres à une allure lente mais sûre pour aborder l'obstacle aquatique. Les minutes qui suivirent devaient le décider à renoncer définitivement à ce sport. L'attelage fila vers l'eau, chevaux et calèche plongèrent... et s'arrêtèrent soudain! Aucune cajolerie ne convainquit les quatre bêtes têtues à repartir. Le vieux maestro, bredouillant d'humiliation et de rage, dégringola de son siège en évitant de justesse une trempette malencontreuse dans le fossé. Il agita un poing furieux à l'adresse du laquais comme des chevaux en braillant :

– Qu'est-ce qui vous prend, imbéciles? Je rentre au château.

Sir John quitta l'arène en boitillant et se dirigea vers le havre de sa confortable suite au château. Laquais, chevaux et calèche reprirent le chemin de quartiers plus humbles.

La mésaventure du vieux chevalier suscita naturellement une vive sympathie, mais d'autres débâcles allaient suivre. Quatre autres attelages effectuèrent le parcours avec des degrés divers de réussite et de médiocrité avant la pause pour le déjeuner.

Au bar et dans les salles à manger, la conversation porta essentiellement sur l'attitude peu digne de Sir John. « Tout à fait stupide d'avoir repris la compétition », telle fut la remarque acerbe du comte de Montgomery qui attendait avec impatience qu'on lui serve à manger. « Il ne reconnaîtrait pas la tête du cul d'un cheval », tel fut le commentaire plus agricole du chef-cocher des Écuries

Royales, Arthur Showell, fortifié par plusieurs pintes de bière extra-forte.

Je sortis de l'enceinte royale, passai devant les essaims de spectateurs crottés s'efforçant de prendre quelque plaisir à pique-niquer sur l'herbe boueuse, me dirigeai vers le paddock, où les concurrents de l'après-midi portaient la dernière main aux harnais, aux rênes et aux selles. J'avais un but précis : l'attelage qui ouvrirait la deuxième partie de l'épreuve serait celui de mon éminent collègue au palais, Mr. Humphrey, maître en toutes choses éloignées du travail. Je le trouvai facilement, vêtu d'une immense jaquette, de culottes délavées et de bottes. Sa tenue de gentleman était complétée par un haut-de-forme démesuré perché en équilibre précaire sur son crâne.

– Je suis venu vous souhaiter bonne chance, John.

– Bonne chance? répliqua-t-il effrontément. J'ai pas besoin de chance, espèce d'idiot. Regardez! Il n'y aura pas de compétition.

– Je vous regarderai jusqu'au bout, promis-je loyalement en tentant de chasser mon appréhension.

Sa calèche est sûrement en contre-plaqué, pensai-je. Et les roues arrière ne sont-elles pas un peu petites? Le temps nous le dirait...

Dans le plus pur style hollywoodien, un coup de tonnerre suivi d'éclairs fournit la fanfare tandis que l'ample silhouette de Humphrey, juchée en haut de la calèche, s'avança dans l'arène et s'arrêta devant la loge royale. Il inclina son chapeau vers une reine amusée puis gagna la ligne de départ, le dos percé par les regards brûlants de Sir Peter et de Tims.

Plus par chance que par habileté, l'attelage parvint à franchir le secteur des poteaux en en renversant seulement deux – l'un des meilleurs départs de la journée. L'homme tiendrait-il? La foule silencieuse attendait, retenant son souffle.

En parcourant des yeux la première rangée, je vis sa maîtresse du moment, Mrs. Freddie Gentle, boire une lampée d'un liquide couleur d'ambre. Manifestement elle aussi était sensible à la tension ambiante.

Mr. Humphrey avait à présent des difficultés à mettre son attelage en ligne pour le fossé. L'un de ses chevaux, qui en avait assez, essaya de se cabrer. Un claquement de fouet suivi d'un « Avance, toi ! » du maître, fut le moyen choisi pour le discipliner. Contrairement aux bêtes de Sir John, celles de Mr. Humphrey trottaient tranquillement vers l'eau en dépit des beuglements furieux les exhortant à accélérer. L'affaire était grave puisque les temps les moins bons seraient pénalisés.

La progression même dans l'eau aggrava encore les choses puisque les chevaux, trouvant l'effort excessif, décidèrent d'étancher leur soif. Plus embarrassant, tandis qu'ils s'imbibaient devant, ils se soulageaient derrière. Des rires s'élevèrent parmi les spectateurs. Alors, prenant mon collègue au dépourvu, les quatre chevaux se ruèrent hors de l'eau, provoquant la chute du fils de Mr. Humphrey, qui jouait le rôle de laquais et qui entra en collision avec un vieux juge qu'il fallut allonger sur l'herbe.

Humphrey parvint à reprendre ses bêtes en main mais sa situation passa du désastreux au fatal. Aux trois quarts de la première butte de la partie cross-country, les chevaux en eurent finalement assez. Ils se dérobèrent, refusèrent l'effort, et le poids conjugué de la calèche, du laquais et, surtout, de mon collègue, les tira en arrière. L'attelage parvint au bas de la pente avec un grand CRAC, et, devant les spectateurs saisis d'effroi, le véhicule se fendit en deux.

Mr. Humphrey tenait encore les guides quand les chevaux, terrifiés, partirent au galop, labourant de leurs sabots la pelouse détrempée, traînant derrière eux la carcasse brisée de la calèche. Le fils de Humphrey courut devant, réussit à empoigner les harnais des chevaux de tête et à les arrêter.

Sous le regard inquiet des membres de la famille et de la Maison royales, des spectateurs accoururent à l'aide.

L'idole déchue s'extirpa des débris, mit maladroitement ses jambes grosses comme des troncs d'arbre en position verticale. A l'instar de Sir John, il brandit un poing rageur au-dessus de son corps éclaboussé de boue en vociférant :

– J'en ai ma claque de cette mascarade à la con! Vous pouvez vous le garder, votre saloperie de concours hippique. C'est une couillonnade pour pédés, de toute façon!

Sa Majesté et les personnes se trouvant à portée de voix furent navrées pour le pauvre homme. Mais n'était-ce pas l'une de ses propres juments que la reine découvrait soudain dans l'attelage de Mr. Humphrey? Non, impossible. Elle devait se tromper.

Si la foule exprima sa sympathie à l'obèse, dans l'enceinte royale, l'humeur était très différente. Je n'avais pu observer la scène sans éprouver un vif amusement, bientôt noyé sous les railleries de plusieurs officiers du palais – « Très drôle! », « Perdez donc du poids! » – qui attirèrent des regards désapprobateurs de la reine et de la princesse Anne. Le prince Edward, lui, poursuivait sa lecture; la princesse Margaret se faisait servir un autre verre.

Mr. Humphrey tira malgré tout quelque plaisir du week-end car Leurs Majestés la reine et la reine-mère décidèrent de visiter ses écuries le lendemain matin pour lui faire part de leur commisération devant cette tragédie. L'homme ne restait jamais longtemps abattu.

Dernier espoir en lice, le duc d'Édimbourg. Sur le papier, il avait une excellente chance puisqu'il avait déjà remporté l'épreuve auparavant et que, jusqu'ici, la meilleure performance n'était que moyenne. Mais avec des conditions météorologiques aussi incertaines, qui pouvait dire ce qui arriverait? Le duc parviendrait-il à nous offrir une démonstration de conduite d'attelage de classe internationale?

Dans la première partie du parcours, le duc fit voler les poteaux, sortit des limites, ce qui lui valut une pénalisation en temps. Si le franchissement impeccable du fossé lui apporta quelque consolation, il demeurait manifestement de méchante humeur, faisant claquer son fouet avec irritation et lançant des regards lugubres aux cieux chargés de pluie. La calèche bringuebala sur le sol saturé d'eau de la partie cross-country, faisant tomber les piquets avec une régularité alarmante. Le duc était peut-être trop occupé à dégager sa couverture tombée de ses genoux et prise dans un moyeu. Quand une des roues s'enfonça dans une ornière, on crut qu'il allait finalement s'avouer vaincu, mais il réussit par miracle à se sortir de ce mauvais pas et à terminer le parcours sous des applaudissements frénétiques.

Lorsque le commentateur annonça les performances dans le haut-parleur, la reine étudia attentivement son programme, se lança dans les calculs. Quelle place son mari avait-il obtenue cette année au championnat national de conduite d'attelage? Autant qu'elle pouvait en juger, il avait fini dernier!

7

Le dernier jour de la visite officielle du président Reagan et de la « reine Nancy », Sa Majesté et le duc donnèrent un banquet en leur honneur dans St. George's Hall, magnifique structure de style gothique régulièrement utilisée pour les grandes cérémonies. Construit sous le règne du roi Édouard II, c'était le cadre idéal pour une telle occasion.

Mr. Humphrey et moi assistions au banquet à titre professionnel pour veiller à ce que les salles d'apparat soient en ordre et que le Personnel fasse bien son travail. Le banquet étant retransmis par la BBC, il n'était pas question de laisser se renouveler un incident survenu dans des circonstances semblables. Pendant le banquet offert au roi du Népal, les factotums et les femmes de ménage avaient fait tellement de bruit pendant que la reine portait un toast de bienvenue qu'il avait fallu leur demander de se taire.

Alors que commençait le banquet en l'honneur des Reagan, Mr. Humphrey parcourut les salles de son pas lourd de manière à se montrer aux conseillers de la reine comme Lord Maclean et Sir Peter Ashmore, puis il me glissa :

– Malcolm, je rentre chez moi dormir quelques heures, je reviendrai plus tard. Si Tims ou quelqu'un d'autre me demande, dites que je suis quelque part dans le château occupé avec le Personnel.

– D'accord, John, acquiesçai-je, sachant que de toute façon, je me débrouillerais mieux sans lui.

Sa maison se trouvant à quelques minutes de voiture seulement du château, Humphrey n'allait pas manquer une occasion en or comme celle-là de s'éclipser.

Peu après, Tims vint me demander si j'avais une idée de l'endroit où était passé Humphrey. Je répondis comme convenu puis allai surveiller les pages préparant les verres dans la Grande Salle de Réception.

Juste avant que la reine et ses hôtes ne pénètrent dans St. George's Hall afin de rejoindre les invités pour le dîner, Tims m'aborda à nouveau :

– Vous avez vu Mr. Humphrey ?

– Je crains que non.

– C'est intolérable. Son travail, c'est d'être ici, pas de se promener dans le château.

Il me jeta un regard légèrement soupçonneux; je me contentai de secouer la tête.

Le banquet fut un grand succès. La reine et ses cent soixante-dix invités dégustèrent les mets savoureux préparés avec art par le chef royal qui, contrairement à d'autres occasions fâcheuses, vint à bout de la soirée sans laisser l'ivresse affecter sa performance. Pendant tout le banquet, Tims me demanda maintes fois où était Mr. Humphrey, et je répondis en toute sincérité que je ne le savais pas... au juste.

Quand arriva le moment des discours, Tims revint à la charge :

– Malcolm, il est patent que Mr. Humphrey a choisi d'être ailleurs pour cette soirée très importante, et je mènerai mon enquête demain. J'ajoute que son attitude donne une fort mauvaise image du service.

La reine attaqua son allocution en rappelant les liens et l'amitié anglo-américains. L'une des caméras de la BBC prit Sa Majesté en gros-plan et *là*, derrière elle, en livrée d'apparat, l'intendant du Palais, Cyril Dickman, appuyé au dossier de la chaise de la reine, oscillait, le regard vitreux, le teint aussi rubicond que le vin de la table. Dickman choisit aussi ce moment pour offrir aux téléspectateurs, estimés à plusieurs millions, une démonstration sur l'art de se curer le nez en public.

Le banquet s'acheva tout de suite après les discours. La reine et ses hôtes allèrent prendre le café et les liqueurs; les autres invités commencèrent à partir. Le visage de Tims avait presque la couleur de celui de Cyril Dickman, mais de rage, pas d'ivresse. Soudain une silhouette corpulente monta le Grand Escalier, tapota l'épaule de Tims.

– Oh vous v'là, Mr. Tims. Je vous ai cherché toute la soirée. Où vous étiez passé?

Tims s'étrangla de rage.

– Comment ça, où j'étais? J'étais ici ! Je faisais mon travail ! Et *vous*?

– Voyons, Mr. Tims, j'étais un peu partout dans le château à surveiller le Personnel. Vous savez comme il faut faire attention avec eux. Ça c'est très bien passé, finalement, vous ne trouvez pas?

Tims bouillait intérieurement.

– A l'avenir, Mr. Humphrey, j'exige que vous passiez plus de temps *ici*, où se fait le travail, au lieu de traîner dans les recoins du château.

– D'accord, Mr. Tims. Bon, je suis fatigué, j'ai faim, alors je fais un saut à la salle à manger pour prendre un sandwich et je rentre. Salut !

Les yeux froids, en trou de vrille, de l'assistant du maître de la Maison étincelèrent de haine. Comme ce Mr. Humphrey pouvait être exaspérant !

Le lendemain matin, la reine et le duc souhaitèrent bon voyage à Mr. Reagan et à Nancy devant le château. Le couple présidentiel partait pour Londres où l'avion Airforce One attendait pour les ramener aux États-Unis.

– Au revoir, Mr. Reagan. Merci pour tout. Vieux con, va !

Qui pouvait bien crier une chose pareille d'une des fenêtres du château, nous nous le demandions tous.

Palais de Buckingham

16 mai - 12 juin

1

Peu après mon retour à Buckingham, je reçus une lettre d'une dame indignée par un incident impliquant des membres de la domesticité du palais. Cette femme avait fait le trajet de Windsor à la gare de Waterloo dans le même train que deux des valets de pied personnels de la reine. Avant de se rendre à la gare, les deux hommes s'étaient rafraîchis dans un *pub* de Windsor et étaient déjà pris de boisson en montant dans le compartiment.

Une fois le train parti, ils avaient commencé à chahuter, à narguer les voyageurs – comportement tout à fait déplacé chez des jeunes gens de leur état. En revenant du bar, à l'arrière du long train, ils avaient importuné une jeune fille qui attendait tranquillement que les toilettes soient libres. Comme elle ne leur prêtait aucune attention, ils s'étaient acharnés sur elle, faisant des allusions grivoises. L'un d'eux avait même porté la main à la poitrine de la jeune fille. Heureusement pour elle, un voyageur avisé s'était rendu compte de ce qui se passait et avait intimé aux jeunes gens de partir. Ce qu'ils firent à contrecœur.

En remontant les couloirs vers leur propre compartiment, ils avaient abordé toutes les jeunes filles, leur débitant des grossièretés. Retournés à leurs places, en face de l'auteur de la lettre, ils s'étaient mis à faire des remarques offensantes sur le travail dans la Maison de la Reine et à dire du mal de Sa Majesté. Ils avaient insulté et tourné en ridicule toute la famille royale jusqu'au moment où, n'en pouvant supporter davantage, la femme leur avait enjoint de se taire.

Dans sa lettre, elle envisageait la possibilité que les jeunes gens ne fassent pas partie du personnel de Buckingham, mais elle soulignait qu'ils s'étaient montrés tellement crus dans leurs remarques sur la reine que, s'ils appartenaient bien au palais, il fallait que quelqu'un soit informé de leur conduite. Lorsque j'apportai la lettre à Sir Peter Ashmore, il la lut rapidement et déclara sans hésiter : « A la porte. » Ce fut l'un des rares licenciements auxquels j'assistai au palais.

La plupart des lettres adressées à la reine ne parviennent jamais sur son bureau. Sir Philip Moore, son secrétaire particulier, a sa propre secrétaire qui veille à ce que tout le courrier important lui soit remis, le reste étant confié à une autre dame des services du secrétaire de la reine, Mrs. Valerie Rose, épouse d'un médecin de Londres.

Parmi les lettres susceptibles d'être portées à l'attention de Sa Majesté figurent des demandes de participation à un gala de charité, à l'inauguration d'un bâtiment, au lancement d'un navire, à une fête d'école privée. Maintes organisations font appel à la reine, leurs requêtes s'ajoutant à ses autres obligations officielles.

Élisabeth II discute de chaque demande avec son secrétaire particulier. Si c'est pour une bonne cause, si elle est disponible à la date requise, elle fera tout son possible pour apporter son concours. Il faut ensuite caser ces engagements dans un emploi du temps déjà surchargé. C'est la raison pour laquelle le secrétaire particulier est indispensable : c'est lui qui, pour l'essentiel, organise la vie de la reine.

De temps à autre des enfants envoient des lettres touchantes que Sir Philip peut juger bon de montrer à Sa Majesté, mais la plupart des lettres finissent sur le bureau de Valerie Rose. Même si elle le voulait, la reine ne pourrait répondre aux milliers de lettres qu'elle reçoit chaque année.

Valerie Rose se charge du courrier peu urgent : les lettres répétant les questions classiques déjà posées un millier de fois par de fidèles sujets. Il est réellement inutile que la reine les voie, et Valerie Rose fournit des réponses conformes aux souhaits de Sa Majesté. Par exemple, une demande de photo dédicacée ou des questions concernant le fonctionnement du palais sont traitées sans que la reine en soit informée. En règle générale, la plupart des admirateurs de la reine sont ravis de recevoir simplement une réponse écrite sur le beau papier à lettre armorié du palais, et signée d'une des six dames d'honneur de la reine. Ces six dames d'honneur assurent tour à tour un service bénévole, généralement pendant un mois d'affilée.

Si, pour beaucoup de lettres, il est relativement simple de répondre, d'autres présentent davantage de difficultés. Souvent, des dames âgées de province racontent à la reine la mort de leur mari et se demandent si elles seront capables de continuer à vivre. Certains parlent d'autres épreuves que la vie leur a imposées, expriment leur désarroi devant le prix élevé de la nourriture ou d'un bon vêtement. Il n'est pas rare que ces personnes désespérées exigent que Sa Majesté fasse quelque chose pour elles tout de suite ! Ces lettres sont tristes à recevoir mais la reine ne peut guère faire autre chose que leur exprimer sa sympathie et leur souhaiter bonne chance dans les mois qui viennent.

Le courrier n'émane pas seulement de citoyens britanniques; chaque année des centaines de lettres proviennent de pays du Commonwealth, en particulier le Canada, la Nouvelle-Zélande et les Caraïbes. Souvent elles ont plus de chances d'être lues par la reine que celles qui viennent d'Angleterre.

Il y a en Australie un gentleman qui écrit à la reine depuis plus de dix ans. Sa première lettre exprimait son admiration et son respect pour la souveraine. Il parlait d'elle en termes si élogieux que Sir Philip Moore décida de la montrer à la reine le jour même. Touchée par les compliments de l'Australien, elle envoya promptement une charmante lettre d'une page à l'homme de Sydney pour le remercier de ses aimables propos.

La semaine suivante, une seconde lettre arriva signée du même Australien, qui traitait cette fois la reine de « foutue garce », de « sale menteuse », de « putain ». Croyez-le ou non, la reine répondit en disant qu'elle était désolée qu'il pense cela d'elle et qu'elle ferait de plus gros efforts à l'avenir pour mériter son approbation. Dans une lettre que Valerie me montra, l'homme suggérait même que Sa Majesté soit décapitée pour trahison !

La reine ne lit plus les lettres de l'Australien mais elle a donné instruction aux services de son secrétaire de lui répondre à chaque fois. Ces instructions sont suivies. Une semaine, l'homme ne tarit pas d'éloges sur Sa Majesté ; la semaine suivante, il fustige avec véhémence Élisabeth II ou un autre membre de la famille royale pour une chose qui lui a déplu. Ainsi, une fois par semaine, depuis plus de dix ans, une lettre de la reine parvient à l'étrange Australien si opiniâtre.

2

Valerie Rose et moi entrâmes dans la salle à manger des officiers de la Maison de la Reine, au deuxième étage du palais. Il était une heure. Chaque jour à cette heure, les officiers se retrouvent dans leur salle à manger élégante et confortable, tendue de soie rouge et blanche, devant des tables dressées avec méticulosité sur des nappes de lin blanc.

Nous rejoignîmes Melanie Rose, la fille de Valerie, déjà assise à l'une des huit tables de la ravissante pièce, et nous commençâmes bientôt à savourer le succulent déjeuner de quatre plats concoctés par le chef royal.

Melanie était une jeune fille gracile et timide. Plus menue encore que sa mère, elle ne dépassait guère un mètre cinquante. Surnommée « la naine », elle venait au palais en renfort pour nous aider à expédier un travail plutôt lourd. J'avais été invité chez les Rose plus d'une douzaine de fois depuis mon arrivée à Buckingham. Je crus d'abord que Valerie aimait simplement ma compagnie. C'était tout à fait exact. J'appris cependant par la suite qu'elle avait des vues sur moi pour sa fille. Je mis rapidement le holà.

Tandis qu'on débarrassait les assiettes du hors-d'œuvre, je me renversai sur ma chaise pour me détendre. Paul Almond, officier des Écuries Royales, nous observait de la table voisine. Il était connu dans tout le palais, moins pour son travail que pour ses blagues. Paul adorait faire des farces aux gens, et c'était ce jour-là le tour de Melanie. Il vint à notre table, se planta devant la timide jeune fille, ouvrit tranquillement sa braguette, sortit son braquemart d'une main et lui lança :

– Fourre-toi ça dans le gosier !

Melanie devint écarlate, éclata en sanglots, sortit de la salle en courant. Humphrey, assis à proximité, rugit de rire. Valerie Rose rapporta l'incident à John Miller mais il n'y eut pas de suite. En fait, Sir John ne comprenait pas pourquoi on faisait tant d'histoires. « Qu'est-ce que vous attendiez de sa part ? dit le vieux chevalier d'un ton indifférent. Un bouquet de roses ? »

C'était une plaisanterie cruelle, que la plupart des témoins de la scène trouvèrent pas du tout drôle. De retour dans mon bureau après le déjeuner, je demandai à Humphrey ce que l'humiliation d'une innocente jeune fille avait d'amusant.

– Ça lui fait les pieds, à cette petite idiote, répondit-il en s'esclaffant à nouveau.

Comme je l'ai dit, Paul Almond manigançait toujours quelque tour contre un membre de la Maison Royale. Une fois par mois environ, il appelait le major Marsham aux Écuries et laissait un message lui demandant de téléphoner d'urgence au mari de la reine pour une question de chevaux. L'ennui, c'était que le duc ne voulait pas entendre parler du major Marsham, qu'il considérait comme un petit enquiquineur obséquieux. Les coups de téléphone importuns ne faisaient que le confirmer dans son opinion. Le duc avait beau répéter qu'il n'avait laissé aucun message, le major s'obstinait. Il était convaincu qu'un jour, le message serait vrai, et il ne voulait pas manquer cette occasion.

Paul Almond aimait beaucoup téléphoner aux gens importants du palais, mais pas de la façon à laquelle ils étaient habitués. Lorsqu'ils décrochaient, il passait la langue entre ses lèvres et soufflait fort, longuement, expédiant ce qu'on appelle communément une « framboise * ».

Une des personnes qu'il adorait narguer ainsi, c'était la duchesse de Grafton, maîtresse de la Garde-robe de la Reine. Grande et voûtée, la duchesse portait des tenues démodées depuis trente ans. Avec ses cheveux bruns grisonnants disciplinés en un austère chignon derrière la tête et son long nez aquilin, elle ressemblait à une vieille jument réformée mise au vert. Jamais satisfaite de quoi que ce soit ou de quiconque, elle se montrait toujours exigeante et avait en outre une voix haut perchée de maîtresse d'école trop sévère devenue

* Raspberry : bruit imitant un pet. *(N.d.T.)*

complètement folle. Agée de soixante-cinq ans, elle se plaignait constamment et possédait cette agaçante capacité à trouver des défauts à presque tout. Elle m'appelait sans arrêt pour geindre un long moment et me téléphona même une fois à propos de la température de son thé.

– Il n'est pas assez chaud, Mr. Barkter. Pas assez chaud !

– De quoi s'agit-il, Votre Grâce?

– De mon thé, Mr. Barkter ! Vos laquais sont trop lents. Qu'est-ce que vous comptez faire?

Ancienne infirmière, la duchesse était la confidente de la reine, son amie la plus intime. Si jadis la Maîtresse de la Garde-robe devait s'occuper des toilettes de la souveraine, elle n'est plus aujourd'hui qu'une dame de haut rang qui l'accompagne pour des inaugurations, dans ses promenades et ses voyages à l'étranger. Comme les dames d'honneur, elle n'a droit à aucune rémunération mais Sa Majesté peut au moins offrir ce titre à une personne de son choix, et dans le cas de la duchesse, les deux femmes s'entendaient à merveille.

La duchesse se montrait rarement au palais. Le plus souvent, elle vivait avec son mari, le duc de Grafton, dans leur demeure ancestrale perdue au fin fond du comté de Norfolk. Lorsqu'elle désirait se rendre à Buckingham, elle appelait simplement la reine sur sa ligne privée, dont peu de gens connaissent le numéro, et l'on préparait sa chambre. Toujours la 232, réservée à son usage personnel. Quand elle résidait au palais, elle remplissait des tâches aussi importantes que déjeuner avec Sa Majesté ou participer aux banquets, réceptions, dîners organisés pendant son séjour.

Quand elle n'était pas à Buckingham, la duchesse parvenait cependant à faire sentir sa présence. Elle me téléphonait du Norfolk pour demander que l'ébéniste de la reine vienne chez elle examiner certains de ses meubles. Toni Bonici, artisan hautement qualifié, se plaignait de devoir travailler chez la duchesse pendant ses loisirs sans qu'elle lui donne un sou pour sa peine. Cela l'empêchait en outre de participer à ses séances de lecture de la Bible, ce dont il était mécontent. Les salaires du palais étaient fort modestes. Un homme comme Bonici, après plus de quinze ans de service, touchait environ trois mille livres par an au maximum. A l'autre bout de l'échelle, Sir Peter Ashmore était payé quarante mille livres. Pour un personnel chichement rémunéré, les salaires de Buckingham n'incitaient guère au travail bénévole, surtout chez des nantis comme le duc et la duchesse de Grafton.

Autre membre de la Maison Royale recevant plus que sa part de « framboises », Sir Rennie Maudsley, gardien de la Bourse Personnelle de Sa Majesté. En sa qualité de trésorier de la Maison, Sir Rennie occupait l'un des postes les plus importants. Il était responsable de toutes les dépenses faites par la reine ainsi que de celles du palais. Toutefois, cet homme chargé de hautes fonctions avait la curieuse habitude de ne jamais régler ses propres factures. Quand il consentait enfin à payer, c'était après des mois de relance, et même alors, il fallait quasiment lui arracher l'argent.

La carrière de Sir Rennie au palais n'était pas des plus brillantes. Homme dur avec un visage froid assorti, il avait un caractère détestable et il était presque impossible de travailler avec lui. Il prenait de grandes libertés, allant même – comme la duchesse de Grafton – jusqu'à demander au chef royal de plumer ses faisans pour lui. Membre de la Maison de la Reine, Sir Rennie disposait d'un magnifique appartement à Mayfair, l'un des quartiers résidentiels de Londres. Après avoir persuadé la reine de l'autoriser à en refaire la décoration aux frais du palais, il promit de la rembourser plus tard. Plusieurs années après qu'il eut pris sa retraite, nous nous efforcions encore d'obtenir quelque argent de lui mais il refusait de payer, bien qu'il fût extrêmement riche. Fait intéressant, quoiqu'il doive à la reine des milliers de livres, il est encore son écuyer, ce qui signifie que dans certaines occasions comme un mariage royal ou une importante visite officielle, on fait appel à lui pour aider Sa Majesté selon les nécessités de la situation.

Une des victimes favorites de Paul était l'habilleuse de la reine, une dame de soixante-dix ans qui avait d'abord été la nurse de la princesse Margaret et de celle qui était alors la princesse Élisabeth. Quand elle prit sa « retraite », elle continua à vivre au palais, faveur que lui accordait la reine. Elle s'appelait Bobo Macdonald et aussi loin que chacun se souvînt, elle avait toujours vécu au palais, régentant sa propre cour imaginaire.

Lorsque je fis la connaissance de Bobo, je lui trouvai une ressemblance frappante avec la méchante sorcière de l'Est du *Magicien d'Oz*. Revêche, ridée, elle marchait le dos voûté d'une inquiétante façon. Elle avait une voix assommante et parlait lentement avec une diction affectée. Je ne pouvais imaginer créature plus parfaite, avec ses robes victoriennes sombres et ses yeux injectés de sang, pour incarner le personnage cité plus haut. Inoffensive au fond, mais forte de la conviction que Sa Majesté ferait quasiment n'importe quoi pour la satisfaire – et la faire taire ! – Bobo était capable de gâcher une journée par ailleurs excellente, même pour la reine.

Après chaque visite officielle, il est de coutume que Sa Majesté offre à chaque officier une bouteille de bon champagne, et une demi-bouteille à chaque membre du Personnel. Bobo, qui en fait n'exerçait plus aucune activité au palais, me téléphona pour se plaindre du cadeau qu'on lui avait fait après l'une de ces visites. Elle était froissée de n'avoir reçu qu'une demi-bouteille alors qu'elle estimait avoir droit à une bouteille entière compte tenu des nombreuses décennies passées au service de la reine. Je lui expliquai que les règles étaient les mêmes pour tout le Personnel, que je n'y pouvais rien, que c'était une pratique approuvée par Sa Majesté elle-même. Mais Bobo, furieuse, menaça d'appeler la reine si je ne lui donnais pas satisfaction.

D'ordinaire, on peut se permettre de rire de telles menaces, mais pas avec Bobo. Elle exerçait une sorte d'emprise sur la souveraine, qui répondait toujours personnellement à ses coups de téléphone. Toutefois, je ne pouvais vraiment rien faire. Les règles sont les règles, et c'est ce que je répondis à Bobo.

Quelques minutes plus tard, je reçus un coup de téléphone de Sir Peter Ashmore m'enjoignant de faire porter tout de suite une bouteille du « meilleur » champagne à Bobo, par ordre de la reine elle-même! Ce qui fut fait, naturellement. Personne au palais ne supportait Bobo, qui était réellement une vieille chipie. Estimant qu'elle ne méritait pas le meilleur champagne de la reine, je lui fis porter à la place de l'Asti Spumante. Comme elle ne me téléphona pas pour se plaindre, je supposai qu'elle ne savait pas faire la différence.

Une autre fois, Bobo appela le chef pour réclamer un léger en-cas en milieu d'après-midi : thé et pâté de foie gras. Le chef refusant de lui parler, ce fut un de ses aides qui prit la commande. Malheureusement, nous n'avons plus de foie gras, lui dit-il, aimerait-elle autre chose?

Non, elle ne voulait pas autre chose, merci beaucoup! Aussitôt elle se plaignit à la reine et vingt minutes plus tard, une camionnette de livraison de chez *Harrods* arriva au palais avec du pâté de foie gras pour Bobo.

L'expérience la plus mémorable et, je l'avoue, la plus délectable, que j'eus avec Bobo se produisit curieusement après qu'elle fut partie en vacances. Depuis près de deux ans, elle interdisait aux femmes de chambre d'entrer chez elle pour faire le ménage. Elle prétendait qu'elle s'en chargeait elle-même, qu'elle ne voulait pas qu'on vienne « fourrer son nez », dans ses affaires, pour reprendre son expression. La responsable du nettoyage avait cependant un avis différent puisqu'elle estimait de son devoir de veiller à ce qu'aucune pièce du palais ne soit négligée. Pour celle de Bobo, l'heure était venue.

Profitant que Bobo était dans un train, roulant – chacun s'accordait à le penser – vers quelque endroit épouvantable, la responsable décida de procéder à une inspection de la chambre. Cette inspection terminée, elle déclara qu'un nettoyage s'imposait et assigna cette tâche à deux femmes de chambre. Lorsqu'elles eurent fini leur travail, elles informèrent leur chef que les quartiers de Bobo avaient subi le traitement prescrit... à une exception près : un buffet fermé à clef qu'elles n'étaient pas parvenues à ouvrir.

Je me rendis sur les lieux mais même avec l'aide de deux robustes factotums, les portes du buffet refusaient de s'ouvrir. Finalement, il fallut appeler le serrurier. De retour dans la chambre de Bobo, la responsable au nettoyage et moi-même prîmes position devant l'imposant buffet de six pieds de haut; je glissai la clef dans la serrure ancienne, ouvris les deux portes.

Un torrent de bouteilles vides dévala du meuble avec une telle force qu'une des femmes de chambre poussa un cri et que nous dûmes, la responsable au nettoyage et moi, nous jeter sur le côté. Des bouteilles de gin, de vodka, de scotch et de sherry recouvrirent littéralement le sol de la pièce. Miss Martin et moi échangeâmes un regard : nous savions à présent pourquoi l'habilleuse de la reine ne laissait personne entrer dans sa chambre.

La pauvre Bobo devait croire qu'elle était la seule au palais à boire.

Comme je l'ai dit, c'était une femme extrêmement désagréable. C'était aussi le seul membre du Personnel ayant son propre laquais, qui vivait avec les autres domestiques dans les combles situés au-dessus des appartements royaux de l'aile Ouest. Un jour Sa Majesté informa Sir Peter de son intention d'inspecter les quartiers des valets de pied et des femmes de chambre. En me mettant au courant, Sir Peter ajouta qu'il conviendrait de décrocher des murs tout ce qui pourrait « offenser » le regard de Sa Majesté. Ce fut fait.

Le lendemain matin, après son entretien avec le chef sur le menu du jour, la reine arriva à l'étage de l'Habilleuse pour son inspection. Sir Peter et moi-même étions là pour l'accueillir. Pour les femmes de chambre, tout se passa sans problème. Nous nous rendîmes ensuite au foyer des laquais, qui se révéla également satisfaisant. Poursuivant sa visite par l'étage des pages, Sa Majesté trouva tout parfaitement en ordre et dit à Sir Peter que repeindre leur cuisine pour l'égayer serait peut-être une bonne idée. Sir Peter sourit de grand cœur, soulagé qu'il n'y eût pas de problème pour une fois. La reine était plus que satisfaite, l'inspection se déroulait à merveille.

Finalement nous arrivâmes aux chambres des valets, et comme nous empruntions le couloir appelé pour une raison quelconque le pont de Londres, la souveraine jeta un coup d'œil dans plusieurs pièces, s'arrêta une ou deux fois pour poser des questions ou bavarder avec un jeune garçon. Nous approchâmes enfin du bout du couloir, parvînmes à la toute dernière chambre, celle du valet de Bobo.

Sa Majesté examina la porte close, la banderole aux lettres rouge vif qui la barrait.

ÉDUCATION SEXUELLE. PREMIÈRE LEÇON GRATUITE
SE RENSEIGNER ICI

La reine se retourna pour lancer un regard aigu à Sir Peter, se mit à tripoter nerveusement son alliance – signe avertissant tous ceux qui la connaissaient qu'elle n'était pas *du tout contente* !

– Je crois que j'en ai assez vu, merci, dit-elle d'un ton glacial.

Elle partit pour ses appartements, précédant un Sir Peter fort agité à l'idée du sermon qu'elle allait à coup sûr lui infliger.

Le valet de Bobo reçut un simple blâme le jour même et l'affaire en resta là.

3

Le président du Nigeria et sa suite devaient arriver à Victoria Station à midi. Malheureusement ils étaient en retard, ce qui obligeait la reine, venue les accueillir, à attendre sur le quai.

C'était un jour de mai maussade, la gare était humide, pleine de courants d'air, et malgré la force de caractère et l'endurance que Sa Majesté montrait en général, sa patience était à rude épreuve. Des officiers de la Maison Royale, tremblants d'appréhension et de froid, ne cessaient de consulter leur montre et de marmonner leur mécontentement. Le soulagement fut général quand le train du président entra enfin en gare avec trente minutes de retard.

L'escorte présidentielle nigériane était relativement modeste comparée à d'autres délégations officielles que j'avais reçues. Le roi du Maroc, par exemple, aimait se faire accompagner de cent vingt dignitaires de son pays. Les Nigérians n'étaient que quinze, y compris la femme du président et le Premier ministre.

Compte tenu des dimensions attendues de la délégation, son attitude fut surprenante. Non seulement les Nigérians parurent se complaire à laisser chaque jour leurs suites au palais dans un état indescriptible mais ils parvinrent à mettre à sec les caves royales. Mes collègues et moi étions sidérés de la quantité d'alcool consommée.

Il y eut un moment embarrassant quand le président du Nigeria découvrit près de son lit de la Suite Belge un exemplaire du *White Man Country* d'Elspeth Huxley. Mr. Humphrey avait personnellement choisi cet éloge du colonialisme pour le dirigeant en visite car chaque fois que nous recevions un hôte de marque, Humphrey ou moi-même devions choisir des livres appropriés dans la bibliothèque de Sa Majesté et les placer dans sa chambre.

Normalement, ce n'était pas une tâche compliquée. Dans le cadre de mon travail, je procédais à quelques recherches avant l'arrivée de l'invité en question et si, par exemple, un certain roi s'intéressait au cricket, ou un sultan à l'histoire britannique, je sélectionnais des ouvrages adéquats.

Quand Sir Peter apprit l'incident, il convoqua Humphrey dans son bureau pour le tancer à nouveau. En arrivant au palais vers dix heures, le lendemain matin, je trouvai mon collègue en sous-vêtements bleus sales, une fesse charnue dénudée, inconscient des odeurs méphitiques qu'il dégageait. Sa seule réponse, lorsque je lui demandai pourquoi il avait choisi une lecture aussi peu indiquée par le dirigeant nigérian fut un retentissant :

– Je pensais que ça le changerait. Comment je pouvais savoir qu'il se mettrait dans un état pareil ?

A vrai dire, personne ne se tracassait vraiment pour les Nigérians. De tous les visiteurs, c'étaient les Nigérians et les Zaïrois que la reine et sa Maison trouvaient les plus difficiles. Au lieu de se conduire avec la dignité qu'on est en droit d'attendre dans la demeure de la reine, ils se comportaient comme s'ils étaient chez eux et traitaient le palais comme une boîte de nuit londonienne.

Le chaos ne se limitait pas à l'intimité des suites nigérianes. Le dernier soir de la visite, au banquet donné par la reine, le président du Nigeria entreprit de critiquer et le Premier ministre, Mrs. Thatcher, qui était présent, et le président Ronald Reagan, qui ne l'était pas. Parce qu'elles avaient été émises en présence de Sa Majesté, ces critiques furent jugées absolument scandaleuses par la presse.

Dernière insulte pour la reine, le président et son entourage volèrent tout ce sur quoi ils purent mettre la main. Ils dépouillèrent les chambres de leurs livres rares, ornements inestimables, postes de radio, et de tout autre objet qu'ils avaient envie de chaparder. Ils emportèrent même les annuaires téléphoniques de Londres reliés cuir.

Je ne nie pas que c'est sans doute un grand honneur d'avoir chez soi un des annuaires magnifiquement reliés de Sa Majesté, mais cela doit être très peu pratique pour chercher un numéro à Lagos, par exemple.

Il va sans dire que la reine ne trouva pas cela drôle et les Nigérians ne furent pas invités de sitôt à Buckingham.

4

Élisabeth II se vit cependant infliger une insulte plus grave lors d'un voyage au Maroc.

Le jour même de son arrivée, la souveraine était l'invitée d'honneur d'un banquet donné au palais du roi. Elle quitta donc l'ambassade britannique à sept heures pour se présenter à sept heures trente-cinq précises aux portes du palais, seule dans la Rolls Royce marron envoyée spécialement de Londres. Après avoir franchi les grilles du joli petit palais du roi, Sa Majesté fut déposée à l'entrée principale. Le secrétaire d'Hassan II l'accueillit, l'avisa qu'elle devait repartir : le roi dormait encore !

La reine considéra la chose et ses implications, donna l'ordre au chauffeur de « rouler un peu ». Lorsqu'elle revint au palais un quart d'heure plus tard, comme convenu avec le secrétaire, il l'informa que le roi n'était toujours pas réveillé mais ajouta avec optimisme, « Cela ne devrait plus tarder, maintenant. » La reine et son chauffeur repartirent donc pour les rues de Rabat.

Le second quart d'heure suggéré étant écoulé, la reine retourna au palais, plus impatiente que jamais de commmencer le banquet. Elle descendit de voiture sans l'aide de personne et s'apprêtait à refermer la portière elle-même quand le secrétaire lui cria de l'entrée :

– Sa Majesté n'est pas encore réveillée, personne n'a le droit de troubler son sommeil.

La reine remonta en voiture, s'enfonça dans la banquette du luxueux intérieur, jeta peut-être un coup d'œil pensif au bar d'acajou.

– Roulez! ordonna-t-elle au chauffeur. On m'a dit de revenir dans une heure.

Ce soir-là, Sa Majesté visita Rabat plus longuement qu'elle ne l'aurait souhaité. Mais elle avait une heure à tuer et était trop polie – à la différence de certains monarques – pour rentrer et oublier le banquet.

Après une longue heure, la reine se présenta derechef à l'entrée du palais, où elle attendit cette fois dans le confort de sa Rolls Royce le petit homme qu'elle connaissait bien maintenant.

– Vous êtes prêts? demanda-t-elle par la fenêtre sans prendre la peine de descendre.

– Nous sommes prêts, Majesté, annonça triomphalement le secrétaire. Le roi est levé!

Hassan II s'était effectivement réveillé. Mais comme après chaque petit somme, il lui fallut un certain temps pour reprendre ses esprits, et ses invités ne passèrent pas à table avant onze heures du soir. La reine, qui pensait être au lit à cette heure-là, ne fut pas de la meilleure humeur.

Sa Majesté est cependant toujours préparée à l'imprévu. Les coutumes varient tellement d'un pays à l'autre qu'elle ne sait jamais ce qui peut arriver.

Lors d'une cérémonie de bienvenue organisée à Sark, en 1949, un chien de rue jouant les resquilleurs trottina jusqu'à la chaise royale où était assise la princesse Élisabeth, et pendant un moment d'horreur, parut sur le point de – oui – d'arroser un des pieds du siège! Mais la princesse claqua des doigts avec autorité, l'animal s'éloigna et prit position près du ministre de l'Intérieur qui se trouvait juste derrière.

Au cours d'un voyage dans plusieurs îles britanniques des Caraïbes, Sa Majesté assista à un banquet pas comme les autres. Traditionnellement, on offre aux membres de la famille royale les plats les plus raffinés, préparés par les meilleurs cuisiniers du pays. Souvent on s'efforce de trouver pour eux des mets délicats qui sont la spécialité régionale. En Nouvelle-Écosse, par exemple, on sert à Sa Majesté du saumon fumé ; en Inde, un curry spécial.

Au banquet donné à son honneur dans une île tropicale, on servit une spécialité qu'elle n'avait jamais goûtée. Assise à la place d'honneur, bavardant aimablement avec ses voisins, elle examina l'assiette qu'on venait de poser devant elle et s'aperçut que ce qu'on lui offrait était la version insulaire de ce que nous appelons communément un rat en Angleterre !

Avec sa force d'âme et son sens de la discipline coutumiers, Sa Majesté parvint à grignoter un petit morceau du plat innommable. Mais finalement incapable de supporter plus longtemps l'idée de manger du rat, elle repoussa son assiette et regarda fermement ailleurs. (Et dire qu'elle croyait ne jamais rien voir de plus écœurant que les yeux de mouton qu'on lui avait servis en Arabie Saoudite !)

Heureusement pour la souveraine, la plupart des pays hôtes sont portés sur une cuisine plus traditionnelle.

5

Coup de téléphone de l'aéroport d'Heathrow. Pardessus le brouhaha des passagers et des haut-parleurs, j'entendis un homme me dire dans un anglais haché qu'il avait pris l'avion pour venir voir la reine et que personne n'était là pour l'accueillir. Je le priai d'attendre, appelai Sir John Miller aux Écuries Royales. Sir John comprit aussitôt qu'il s'agissait de l'émir du Qatar, en provenance du golfe Persique dans son avion à réaction personnel, et me dit de l'informer qu'un chauffeur passerait le prendre à l'aéroport le plus rapidement possible. D'ici là, Sir John chercherait à savoir la raison de l'incident.

– Où est Hawkes ? demanda-t-il d'un ton glacial en pénétrant dans le bâtiment des chauffeurs.

– Je crois qu'il est dans sa chambre, Sir, répondit un jeune apprenti.

– Conduisez-moi.

Parvenu devant la porte de la chambre, Sir John renvoya le jeune homme, frappa.

– Hawkes ?... Hawkes ? Je veux vous parler immédiatement. Sortez. Qu'est-ce que vous faites ? Sortez !

Les coups discrets se transformèrent en martèlement. Finalement la porte s'entrebâilla.

– Ouais ? Qui c'est ? fit une voix ensommeillée.

– C'est moi, Sir John. Je veux vous parler.

La porte s'ouvrit sur un homme en maillot de corps et caleçon, les cheveux en broussaille, l'haleine empestant le scotch.

– Qu'est-ce que vous faites au lit à cette heure-ci, Hawkes ?

– J'ai eu une nuit agitée. Suis rentré à quatre heures.

– Cela ne m'intéresse pas. Pourquoi n'êtes-vous pas à Heathrow ? Vous deviez prendre l'émir du Qatar, il vous attend.

– Mais c'est mon jour de congé, Sir, marmonna le chauffeur en se grattant la tête.

– Absolument pas, rétorqua, Sir John, furieux. Vous étiez censé être là-bas à onze heures.

– Vraiment ! Oh ! non... J'ai cru que j'avais fait ça hier !

Plus tard dans l'après-midi, Sa Majesté avait pris des dispositions pour retrouver Sir John Miller aux Écuries Royales afin d'examiner un cheval qu'elle venait d'acheter. Elle arriva par l'entrée du jardin, derrière le palais, et le rejoignit dans la cour des écuries. La duchesse de Grafton l'accompagnait.

La reine portait une tenue de tweed décontractée, un

foulard bleu pâle noué sous le menton. Sir John apparut, montant fièrement un gracieux bai de Cumberland. J'attends encore de voir un animal d'un sang plus pur. Sa Majesté s'approcha, prit doucement les rênes, tapota affectueusement les naseaux du cheval et le calma par des paroles apaisantes.

– Attention, Majesté. Il est encore un peu craintif.

– Vraiment, Sir John, il est très bien, dit la reine, qui savait s'y rendre avec les chevaux.

Sentant le pur-sang se détendre sous lui, Sir John s'enhardit jusqu'à lui donner une claque un peu appuyée sur la croupe. Surpris, rendu nerveux par son nouvel environnement, l'animal échappa à la reine. Elle se recula à temps, le regarda faire le gros dos, hennir et désarçonner un Sir John interloqué.

Élisabeth d'Angleterre et la duchesse de Grafton partirent d'un rire hystérique, plus encore quand elles constatèrent que le chevalier n'était pas blessé. Humilié, Sir John brossa d'un air bougon la poussière de ses vêtements.

– Foutu cheval ! grommela-t-il, plus qu'agacé.

La reine, ravie de sa nouvelle acquisition, regagna ses appartements. Sans aucun doute pour rire à nouveau de bon cœur avec la duchesse.

Aussi loin que quiconque se souvînt, Sir John avait toujours été aux Écuries et, comme je l'ai dit, ne parvenait pas à se faire tout à fait à la vie des années 1980. Il préférait celle beaucoup plus simple à son goût, du milieu du XIXe siècle.

Je me rappelle un jour où il se rendit dans le centre de Londres en voiture et gara sa Jaguar devant les magasins de l'Armée et de la Marine dans Victoria Street. Occupant la position importante d'écuyer de la Couronne, l'un des postes les plus élevés dans l'entourage de la reine, il estimait n'être pas concerné, en quelque sorte, par les lois et les règlements s'appliquant aux citoyens ordinaires.

En ressortant du bâtiment, Sir John retourna d'un pas

vif à sa voiture bleu roi garée en stationnement interdit devant l'entrée principale. Un policier s'apprêtait à poser une contravention sur le pare-brise.

– Monsieur l'agent, qu'est-ce que vous faites à mon automobile ? s'écria Sir John en se précipitant vers lui.

– Vous êtes en stationnement interdit, monsieur. Je dois vous donner une contravention.

– Une contravention ? fit l'écuyer, étonné. De quoi parlez-vous, mon ami ?

– Je viens de vous le dire. Vous êtes en stationnement interdit.

– Non, vous ne pouvez pas me donner de contravention, je le crains fort, répliqua Sir John avec arrogance.

Le policier parut dérouté.

– Pourquoi ?

– Parce que je suis l'écuyer de la Couronne, idiot !

– Le quoi ?

– L'écuyer de la Couronne. Je me gare toujours ici. Je suis envoyé par la reine.

L'agent ne fut pas impressionné.

– Je me fiche de ce que vous êtes, vous ne pouvez pas vous garer là.

D'une main ferme, il rabattit l'essuie-glace de la Jaguar sur le papillon et s'éloigna.

Perplexe, ébranlé, Sir John arriva une demi-heure plus tard à son bureau des Écuries Royales et entreprit de narrer sa mésaventure à sa secrétaire. Connaissant l'homme, son mode de vie et ses opinions quelque peu archaïques, elle s'efforça de le réconforter en soulignant qu'aujourd'hui, la loi est la loi pour tout le monde. Cela ne contribua point à apaiser Sir John qui, au comble de l'exaspération, passa dans son propre bureau en s'écriant :

– J'appelle la reine. On n'a pas le droit de me parler comme ça.

On ne peut qu'imaginer la réaction de la reine.

Sir John était une véritable institution au palais mais,

en vieillissant, il montait de moins en moins à cheval, voire plus du tout. Mr. Humphrey s'occupait donc de plus en plus de l'entraînement des chevaux de la reine.

Humphrey avait chez lui à Windsor une écurie très renommée et possédait en outre une entreprise privée de location d'attelages. Comment trouvait-il le temps de faire tout cela ? Très simple. Il dirigeait son affaire du palais de Buckingham, et ses services étaient particulièrement appréciés des boutiques de mariage de Londres, qui avaient toutes le numéro de Mr. Humphrey au palais : 930-4832, poste 274.

Mon collègue avait avisé le standard que les coups de téléphone concernant la location de calèches devaient lui être transmis immédiatement. Comme il était officier de la Maison Royale, cet ordre ne fut jamais mis en question. Après tout, il était le patron. Néanmoins, sa petite opération ne passait pas totalement inaperçue au palais, et Tims avait des raisons de soupçonner Humphrey d'être en faute. Des bruits circulaient sur les affaires privées auxquelles il se livrait mais Tims n'avait jamais réussi à le prendre sur le fait.

Un après-midi, il y eut un coup de téléphone pour les Calèches John Humphrey. Comme ni Mr. Humphrey ni moi n'étions dans notre bureau, la standardiste prit sur elle de passer la communication à notre supérieur immédiat, Mr. Tims. Il explosa naturellement de colère et d'indignation quand on lui demanda s'il pouvait « faire un mariage le 29 ». D'un ton courroucé, il répliqua à son correspondant qu'on ne louait pas de calèches au palais de Buckingham et le pria de ne plus jamais rappeler.

Profitant de l'absence de Mr. Humphrey, Tims s'introduisit dans son bureau, inspecta ses tiroirs. Dans l'un d'eux, il trouva ce qu'il cherchait : du papier à lettre portant les armoiries du palais et, dessous, « Calèches John Humphrey, SARL, Buckingham Palace ».

Abasourdi, Tims se rendit compte qu'il tenait enfin la preuve qu'il appelait de ses vœux : la rumeur était à présent un fait.

Plus tard dans la journée, Tims convoqua Humphrey pour lui dire qu'il savait tout de sa petite affaire clandestine : il avait fouillé son bureau, découvert une preuve accablante. Il se voyait dans l'obligation d'informer Sir Peter de la faute. Comme il fallait s'y attendre, Humphrey nia catégoriquement des allégations qu'il qualifia de « foutaises ». Tims, jubilant, agita la preuve dans l'air.

Réfléchissant rapidement, mon collègue déclara que si Tims faisait un rapport sur son affaire de calèches, il se verrait contraint de porter devant la reine elle-même la question tout aussi grave de la fouille de son bureau. Chose étonnante, Tims tomba dans le panneau.

Humphrey continua à gérer de son bureau sa petite entreprise commodément présentée comme un service offert par le palais de Buckingham. Les clients s'imaginaient – et s'en vantaient auprès de leurs amis – que la calèche transportant leur bien-aimée le jour de son mariage était en fait l'un des attelages de la reine. N'était-ce pas admirable, de la part de Sa Majesté, de se montrer aussi généreuse avec ses sujets ?

6

Il se produisit à la même époque un incident beaucoup plus grave impliquant deux laquais de la reine.

Quelques semaines plus tôt, au cours d'une inspection de routine du palais, la police avait trouvé des explosifs cachés dans le foyer du Personnel. Deux jeunes gens, Stephen Beevis et Andrew Gildersleeve, furent appréhendés et prétendirent qu'ils avaient acheté ces explosifs pour rouvrir une mine d'or abandonnée à Gloucester. Ils jurèrent n'avoir aucune intention criminelle à l'égard de la famille royale.

Toutefois, l'enquête n'établit pas l'existence de cette

mine et conduisit à d'autres questions quand une jeep volée fut découverte près de l'endroit où les jeunes gens avaient mené les policiers. Elle contenait des affaires personnelles appartenant aux deux valets. Leur histoire étant fort peu crédible, ils furent condamnés à six mois d'emprisonnement et relevés de leurs fonctions au palais.

Peu après, je rencontrai la mère de l'un d'eux, Mrs. Beevis, quand elle vint à Buckingham prendre les affaires de son fils. Je la conduisis à la chambre de Stephen, l'y laissai et retournai à mon bureau.

Une heure plus tard, le policier de faction devant l'entrée principale m'informa que Mrs. Beevis partait. Je descendis lui dire au revoir. C'était de toute évidence une dame au grand cœur que cette visite au palais avait beaucoup gênée. Je quittai Humphrey qui, les jambes allongées, regardait un petit poste de télévision d'acquisition récente et mystérieuse.

Mrs. Beevis m'attendait dans le hall près de deux grandes caisses en carton. Comme je lui demandais poliment si elle avait trouvé tout ce qu'elle était venue prendre, elle répondit : « Oui, sauf une petit télé couleur que nous avions offerte à Stephen pour son anniversaire. Elle n'est pas dans sa chambre. »

Je pensai aussitôt à Humphrey, mais que pouvais-je dire à Mrs. Beevis ? Certainement pas qu'un des officiers de la Maison de la Reine avait volé le poste. Cela n'aurait pas fait très bonne impression. Je lui promis de faire mon possible pour le retrouver et de lui téléphoner si on me le rapportait.

De retour dans mon bureau, je me plantai devant Humphrey qui avait sérieusement entamé un paquet de chips et s'amusait beaucoup avec sa nouvelle acquisition.

– John, c'est la télé de Stephen Beevis que vous regardez ?

– Bien sûr, répondit-il nonchalamment entre deux gorgées de café.

– Vous ne croyez pas qu'il faudrait la lui rendre ?

Mrs. Beevis vient de m'en parler, je n'ai pas su quoi lui dire.

– Lui dites rien. Son fils est un vaurien, de toute façon.

Imperturbable, il revint à son café, à ses chips et à son poste – que Mrs. Beevis ne devait jamais revoir.

Les laquais de la reine manigançaient toujours quelque mauvais tour. Ils étaient une vingtaine au total, dont les visages changeaient constamment. Deux ou trois fois par an au moins, l'un d'eux partait, las d'un emploi ayant rapidement perdu son attrait et son prestige initiaux. Un autre prenait sa place. Le salaire était fort bas, surtout pendant la première année, au cours de laquelle on ne le laissait même pas servir personnellement la reine. Quand il commençait enfin à la servir, il ne pouvait espérer qu'une augmentation de cinq livres par semaine tout au plus.

La plupart des laquais avaient entre dix-sept et vingt-deux ans. Beaucoup, naturellement, manquaient encore de maturité et montraient ce penchant des jeunes garçons à éprouver constamment la rigueur des règles. Lorsqu'ils n'étaient pas de service, ils restaient généralement au palais, et des amitiés profondes aussi bien que des rancunes tenaces se développaient avec le temps. Tous les deux ou trois jours, j'étais obligé de traîner un des valets de pied dans mon bureau pour lui rappeler qu'il n'était plus à l'école et qu'il devait surveiller sa conduite, pendant et en dehors du travail.

L'un des laquais les plus responsables que j'ai connus s'appelait Keith Magloire. C'était l'un des deux valets personnels de Sa Majesté, qu'il servait depuis plusieurs années. L'un de ces deux jeunes gens était toujours auprès d'elle, soit qu'il se tînt à proximité pendant qu'elle dînait dans ses appartements privés, soit qu'il lui apportât un dernier verre avant qu'elle n'aille se coucher. Keith s'acquittait de sa tâche à la perfection et la reine lui accordait sa confiance. Seul problème, il avait une liaison torride avec un ancien comte russe qui vivait dans le quartier huppé de Belgravia.

Loin de chercher à cacher cette relation, Keith étalait devant ses collègues de sa vie amoureuse. Je lui fis comprendre discrètement que ce n'était pas convenable mais il me répondit : « Tout le monde au palais en fait autant, pourquoi pas moi ? » Je présumai bien entendu qu'il voulait dire que tout le monde avait une vie amoureuse, pas forcément avec un comte russe.

Un autre laquais appelé Michael Fawcett était extrêmement mécontent de son logement au palais. Il avait servi la princesse Anne comme valet de nursery, et lorsqu'elle s'était mariée et avait quitté Buckingham, on l'avait muté avec les autres laquais. Il considérait ce changement comme une rétrogradation et s'en plaignait à la princesse à chaque occasion.

Les quartiers des valets de pied étaient situés au deuxième étage de l'aile Ouest du palais, à bonne distance des appartements royaux. Et l'on ne pouvait les qualifier de luxueux, ce n'étaient pas non plus des taudis comme Fawcett semblait le penser. La princesse Anne finit par lui offrir un emploi de maître d'hôtel dans sa propre maison et Fawcett fut content. Le palais aussi.

Je n'étais pas du tout étonné des sentiments profonds qui liaient souvent des membres du Personnel à la famille royale. C'était le cas autrefois pour la reine et son ancienne nourrice, Bobo Macdonald, le prince Charles et son valet de chambre, Stephen Barry (qui mourut plus tard du sida), et maintenant la princesse Anne et Fawcett. Mais celui-ci ne resta pas longtemps chez la princesse, qui dut à regret lui demander de partir peu de temps après qu'il eut pris ses fonctions à sa résidence de Gatcombe Park. Elle se félicita quelques mois plus tard de l'avoir fait lorsqu'on apprit que, devenu fou, il avait poignardé sa grand-mère dans un accès de rage.

La princesse Anne n'avait guère de chance avec ses domestiques. Une jeune valet s'occupant de l'argenterie traversait une période difficile. Après avoir reçu par la poste de nombreuses menaces de mort, il fit part de ses craintes à la princesse. La police, prévenue, entama une enquête.

C'était un fort joli garçon qui servait admirablement la princesse. Aussi refusait-elle de s'en séparer même après qu'on l'eut surpris plus d'une douzaine de fois au lit avec d'autres valets. Elle l'aimait beaucoup, elle tenait à l'aider dans ces moments de détresse, car recevoir des menaces de mort peut être une expérience traumatisante.

La police chercha pendant des semaines à résoudre le mystère des lettres de menace. Si les policiers s'inquiétaient pour la vie du valet, ils se souciaient aussi bien entendu de la princesse et de sa famille. Le jeune domestique leur montra une demi-douzaine de lettres qu'il avait reçues, toutes composées avec des caractères découpés dans les journaux. Deux ou trois autres cependant étaient manuscrites, et faute de piste, la police les confia à un graphologue.

Cet expert demanda un échantillon de l'écriture du jeune homme, la compara à celle des lettres et déclara à la police qu'il n'y avait aucun doute dans son esprit : les lettres avaient été écrites par une seule personne, le valet lui-même !

Confronté à ces révélations, le garçon craqua et avoua, oui, il était bien l'auteur des lettres. Il avait seulement voulu attirer l'attention, expliqua-t-il pour se défendre. De l'attention il en reçut, ainsi qu'une lettre de renvoi de la princesse Anne, le jour même.

7

Vers la fin du mois de mai, j'eus à régler un autre problème grave qui n'avait rien à voir avec un comte russe, une grand-mère poignardée ni des menaces de mort. Absolument rien. Le problème était de savoir comment réagir devant tous les pipis profanant le palais, c'est-à-dire la propriété de la reine.

Croyez-le ou non, les domestiques passaient une bonne partie de leur temps à faire pipi et étaient fréquemment surpris dans cette activité par Sa Majesté elle-même. Un aide cuisinier se fit prendre un soir par un policier en train d'uriner contre le palais. Revenant de son *pub* favori vers onze heures et demie, il n'avait pu se retenir une minute de plus. Il fallait qu'il fasse, tout de suite! Pour aggraver les choses, il avait choisi la Galerie des Tableaux, où nombre de toiles de valeur de la collection de la reine sont exposées pour le public. L'aide cuisinier fut renvoyé le lendemain matin. Le hasard voulut que le directeur du bar du palais fût lui aussi congédié ce jour-là pour détournement de fonds. Dans les deux cas, il n'y eut pas de poursuites. Mais les pipis continuèrent.

Un autre incident se déroula dans un bâtiment d'habitation des Écuries Royales, juste derrière le palais. Un des membres du Personnel, qui y vivait avec sa femme et ses enfants, ouvrit vers minuit la fenêtre du premier étage et entreprit de se soulager. L'écuyer de la Couronne, qui sortait au même moment de son bureau au rez-de-chaussée, échappa de justesse à l'averse.

Le lendemain, Sir John fit son enquête, découvrit l'auteur du délit qui expliqua que sa femme, fâchée avec lui, lui avait interdit l'entrée de leur chambre. Comme cette chambre conduisait aux seules toilettes de l'appartement, que pouvait-il faire? Rien, bien sûr, et c'est exactement ce que fit Sir John.

Les enfants des membres du Personnel vivant avec leurs parents dans des appartements fournis par le palais traitaient les lieux qui les entouraient avec autant de dédain que les toilettes publiques. Des adolescents de quinze et seize ans roulaient en cyclomoteur dans la cour des Écuries Royales, usaient d'un langage grossier, tourmentaient d'autres enfants et, oui, pissaient un bon coup contre un mur quand le besoin s'en faisait sentir.

Le Personnel posait aussi d'autres problèmes.

Un apprenti chauffeur de dix-sept ans affecté à la reine-mère avait menacé des gens avec un couteau à un arrêt d'autobus de Londres. Bien qu'il n'eût blessé personne, il fut renvoyé, mais comme son père était maréchal-ferrant aux Écuries Royales, le jeune garçon, dont on savait qu'il possédait une arme dangereuse, continua à vivre avec ses parents dans un appartement de fonction situé derrière le palais... à quelques centaines de mètres des appartements royaux!

C'était un adolescent difficile qu'on voyait traîner autour des Écuries Royales, portant sur l'épaule une grosse radio-cassette beuglant du hard rock qui ne cadrait pas du tout avec le gracieux environnement. Un après-midi, il s'avança vers la cour, stéréo à l'oreille comme d'habitude, les accents de *Billy Jean* par Michael Jackson annonçant son arrivée. A ce moment précis, le comte de Westmorland sortait du bureau de Sir John. Assailli par le vacarme, il se figea, stupéfait. Ou il était choqué par ce qu'il entendait, ou il n'avait pas encore reçu son exemplaire de l'album *Thriller*. Voyant la mine désapprobatrice du comte, le jeune garçon prit plaisir à s'emplir la bouche d'une bonne quantité de salive puis cracha négligemment par terre devant l'aristocrate en passant devant lui. Sa Seigneurie fut consternée, on le comprend, mais là encore il n'y avait rien à faire. Les temps avaient vraiment changé.

Le bas de l'échelle du Personnel du palais était également difficile à diriger pour d'autres raisons. La plupart des factotums, des vieux pages et agents d'entretien occupaient leur poste depuis trente ou quarante ans. Sans aucune perspective d'avancement, ils demeuraient dans leurs chambres du sous-sol à boire du scotch et à échanger des ragots pour passer le temps.

Alors que j'étais encore nouveau à Buckingham, je dus un jour me rendre aux cuisines pour vérifier le menu avec le chef royal. Comme je m'orientais encore mal, je pénétrai par erreur dans une pièce dont la seule occupante était une vieille femme penchée au-dessus d'un évier, épluchant des pommes de terre.

– Excusez-moi, fis-je poliment.

La vieille se retourna, releva une mèche de cheveux sales et me lança un regard irrité.

– Qu'est-ce que vous voulez ? aboya-t-elle d'une voix rauque.

– Je cherche le chef mais on dirait que je me suis trompé de cuisine.

– Z'êtes nouveau, hein ?

– Oui, je suis nouveau mais...

– Qu'est-ce que tu penses de ça, mon beau ?

Avec un rire sinistre, elle releva sa jupe crasseuse. Malheureusement elle ne portait pas de dessous et j'eus droit à une vue panoramique sur ses parties intimes peu ragoûtantes.

Je sortis de la pièce avec une légère nausée, retournai à mon bureau où je racontai à Mr. Humphrey ce qui m'était arrivé. Il m'expliqua que la vieille folle s'appelait Miss Ivy Hoaen, ajouta que ma mésaventure n'avait rien d'extraordinaire. Apparemment, elle avait pour habitude de s'exhiber dans le palais, généralement plusieurs fois par jour. Humphrey me narra la fois où Ivy entra en se pavanant dans le réfectoire du Personnel au château de Windsor, ôta tous ses vêtements en poussant des cris aigus puis s'assit à l'une des tables avec son déjeuner. Les membres du Personnel trouvèrent la chose si banale qu'ils continuèrent à manger comme si de rien n'était.

Commentaire final de Mr. Humphrey sur le sujet :

– Vous savez, Malcolm, je me la suis payée, mais elle a un peu passé l'âge, maintenant.

Comme je l'ai dit, les domestiques accomplissant les tâches les plus rebutantes étaient très mal payés. Pour compenser, ils étaient logés au palais ou à proximité et y prenaient gratuitement tous leurs repas. La plupart d'entre eux étaient satisfaits de cet arrangement.

L'un d'eux toutefois faisait exception à la règle. Non qu'il fût mécontent, il était au contraire très heureux. Car bien que chichement rémunéré, il parlait toujours des voyages qu'il allait faire prochainement – et je ne parle pas d'une excursion à Brighton. Non, cet homme de peine parcourait le monde. Une année aux États-Unis, l'autre en Italie, et dans quelques mois la Suisse, en avion. Je fus encore plus étonné lorsqu'il me dit qu'il irait bientôt en Nouvelle-Zélande, qu'il ne savait pas encore s'il prendrait Air New Zealand ou British Airways en première classe, ajoutant qu'il n'avait pas vraiment trouvé cette dernière compagnie à la hauteur lors de son dernier voyage.

Grâce à ce grand voyageur, je me familiarisai avec les appellations prestigieuses dont usent les compagnies aériennes pour attirer les passagers. Certaines sont très originales, quoique à la limite du prétentieux. Mon factotum faisait par exemple grand cas de la classe Diamant de South African Airways mais n'était pas emballé par sa classe Affaires, baptisée classe Or. (Il n'avait pas essayé la classe économique, appelée classe Argent.) La classe Navigateur de TAP Air Portugal était convenable, tandis que la classe Lion de Kenya Air ways et le Service Faucon Doré de Gulf Air étaient décevants. Bien sûr, soulignait-il, toutes les compagnies ne sont pas aussi inventives et la plupart se contentent de catégories terre à terre – si l'on peut dire – comme première classe et classe Affaires. En reprenant le même système, on pourrait, je suppose, leur donner le nom qu'on veut : sur un vol Aeroflot, par exemple, on peut se considérer en classe Catastrophe.

Cet humble serviteur était un original pour qui j'avais une vive sympathie. La plupart de ses collègues étaient la plupart du temps si imbibés qu'on ne pouvait leur arracher un mot aimable. Aussi était-il très apprécié au palais. Le mystère de ses voyages fut éclairci quand il m'expliqua que sa mère était décédée quelques années plus tôt en lui laissant une fortune inattendue en actions.

Malgré sa richesse, quand il ne faisait pas le tour du monde – en première classe, bien sûr – il était content de balayer le sous-sol ou de déplacer les meubles de la reine. Un homme simple, charmant, qui méritait tout à fait son bonheur.

Le bas de l'échelle n'était pas le seul à poser des problèmes puisqu'un officier de la Maison de la Reine avait été trouvé en possession de drogue. Renseignée par un coup de téléphone anonyme, la police avait fait une descente dans son appartement de Kensington Palace, non loin de celui de la princesse Margaret. Elle y avait découvert de la marijuana, comme on le lui avait indiqué. Bien que le crime fût autrement plus grave que se soulager contre un mur de Buckingham, l'homme n'eut droit qu'à un sermon du maître de la Maison de la Reine, qui lui dit de ne pas recommencer.

Tout ce qui précède fait cependant pâle figure auprès d'un incident qui se produisit un jour à Sandringham House. C'était un soir de janvier, vers onze heures et demie, et l'un des pages qui servaient Sa Majesté depuis des années quand elle résidait là-bas, rentrait du *pub*, établissement où il se précipitait dès qu'il en avait l'occasion.

Il était complètement ivre, comme à l'accoutumée, quand il réintégra le majestueux manoir. Après y avoir pénétré par l'entrée réservée à Sa Majesté, il tituba dans le dédale d'étroits couloirs sans pouvoir trouver sa chambre. Parvenant à une porte qu'il n'avait pas encore essayée, il s'escrima en vain sur la poignée. Tout à coup, comme par magie, la porte s'ouvrit.

Comme il s'avançait dans ce qu'il croyait être sa chambre, il tomba dans un escalier plongé dans la pénombre. Marmonnant des grossièretés, battant l'air des bras pour se rattraper à quelque chose, il entra en collision avec la reine qui montait lentement à sa chambre. Sa Majesté se retrouva au pied de son escalier personnel, l'ivrogne vautré sur elle !

Elle réussit à se dégager, se releva avec toute la dignité qu'elle put rassembler et s'adressa au page cramponné à la dernière marche.

– Je vous suggère de vous mettre au lit immédiatement, ordonna la souveraine d'un ton froid. Si tant est que vous en soyez capable.

Les cheveux en désordre – ce qui ne lui ressemblait guère – la reine d'Angleterre, Défenseur de la Foi, Chef du Commonwealth, alla alors se coucher.

Courses royales d'Ascot

13 - 18 juin

Note

Suite à une mauvaise évaluation, les 150 billets normalement réservés au personnel pour la semaine des courses royales d'Ascot ont été réduits à 75.

On procédera demain à un tirage au sort pour que ces billets soient équitablement distribués.

J.S. HUMPHREY ESQ.

Ainsi commença la semaine d'Ascot.

La coutume voulait que chaque employé de la Maison Royale reçoive deux billets pour un jour de son choix, et l'une des attributions dévolues à Mr. Humphrey était de veiller à ce que la distribution se fasse sans discrimination aucune. On ne peut s'empêcher de penser qu'il était peu judicieux de la part de Sir Peter Ashmore de lui confier cette tâche puisque, de notoriété publique, Mr. Humphrey prenait alors une semaine de congé officieux et invitait parents et amis à la pelle pour une beuverie de quatre jours dans une partie privée du paddock. Naturellement, ses invités avaient besoin de billets, et Mr. Humphrey en avait promis cette année à près de quatre-vingts de ses amis les plus proches. Il comptait bien puiser à pleines mains dans le quota alloué au Personnel et apaisait ses scrupules en se disant que le Personnel n'avait pas besoin d'autant de billets, pour commencer. Les courses d'Ascot revêtaient beaucoup plus d'importance pour lui et ses compères.

Mr. Humphrey rédigea donc une note standard sur une feuille tachée de café en faisant appel aux capacités exceptionnelles qu'il avait acquises dans le domaine de l'ambiguïté. Ils n'y feront même pas attention, pensait-il. Il se trompait.

Indigné, le Personnel fit le siège de mon copieux ami pour qu'il explique comment une telle erreur avait pu se produire. Toutefois, même en conjuguant leurs efforts, les employés ne réussirent à tirer aucune explication du personnage, qui compatit à leur sort et assura qu'il avait été lui-même marri en apprenant leur infortune. Avec ressentiment, ils finirent par abandonner la partie, laissant mon collègue empocher les billets dont il avait tant besoin.

En Angleterre, les mondanités estivales commencent vraiment à la mi-juin avec les Courses Royales d'Ascot. Quatre jours d'épreuves relevées, des assauts d'élégance et, bien entendu, une forte présence royale en font l'un des clous de la saison. Le must, c'est l'enceinte royale, pour laquelle un billet demande au moins un an d'attente, et beaucoup d'éminentes personnalités n'en obtiennent pas.

Le mercredi s'annonçait ensoleillé, et après avoir enfilé une jaquette, je pris à la gare de Waterloo le train pour Ascot. Le beau temps avait attiré une foule immense et très colorée. Les femmes portaient des robes en soie turquoise ou verte, citron ou hibiscus; les hommes étaient en jaquette et haut-de-forme. Tous étudiaient, le front plissé, la liste des chevaux engagés et des jockeys.

Après un succulent déjeuner, je me postai à un endroit d'où je verrais parfaitement le cortège royal arrivant à deux heures sur le champ de courses. Spectacle éblouissant. La reine, en robe de soie émeraude et chapeau assorti, souriait en agitant la main; Lady Diana Spencer, dans une époustouflante création de soie pêche, rayonnait de bonheur prénuptial; la reine-mère portait un joli ensemble lilas; la princesse Margaret, toute de rose vêtue, souriait aux anges en songeant peut-être à l'excellent Pimms servi dans l'enceinte royale. Seuls le duc d'Édimbourg et le prince Charles semblaient s'ennuyer, car ni le père ni le fils ne partagent la passion de la famille pour les courses de chevaux.

L'après-midi se déroulait fort bien. La première course, prix de St James's Palace, vit une arrivée très serrée mais j'eus le bonheur de commencer la journée avec un gagnant, sur un tuyau que m'avait donné le marquis de Northampton. Pour toucher mes gains, je me rendis au guichet où un individu corpulent affublé d'un costume en tweed informe se querellait avec la jeune employée. Je souris en me rappelant que le chef royal prenait les courses très au sérieux.

– Des ennuis, Peter? m'enquis-je, jovial.

– Ben, j'vous remercie, tiens! lança le cuisinier d'un ton belliqueux à la jeune fille aux abois.

Il se retourna, faillit perdre l'équilibre, m'écrasa le pied. Je fis la grimace mais parvins à garder mon sang-froid.

– C'est cette idiote, là, qui s'est trompée de cheval, gronda-t-il. J'ai perdu dix livres alors que j'aurais dû en gagner cinquante!

Les habituels relents de scotch s'échappaient de sa bouche et s'accrochaient à mon nez. Pour la deuxième fois, je grimaçai.

– Bah! tant pis, Peter. Vous aurez plus de chance dans la prochaine.

J'empochai mes gains, me dirigeai vers la grande tente où l'on servait les rafraîchissements pour savourer un Pimms bien frais.

Je ne fus pas du tout surpris d'y trouver Mr. George Jenkins, administrateur du palais, usant pleinement des services du bar, un verre de bière d'une main, un sandwich à l'œuf mou et humide de l'autre.

– Ah! bonjour, Malcolm. De la chance, jusqu'ici?

Je lui contai mon succès, et la déconfiture du chef. Après avoir avalé une grosse bouchée de son sandwich, Mr. Jenkins renversa la tête en arrière et, d'un rire caverneux, projeta des miettes d'œuf mimosa sur le dos de la robe en satin de la duchesse de Westminster.

Celle-ci ne tarda pas à réagir.

– Regardez ce que vous avez fait, grossier personnage! tempêta-t-elle, indignée.

– Ça ne fait rien, chérie, on va essuyer ça avec un mouchoir, hé! gloussa-t-il en tirant de la poche de sa jaquette une espèce de chiffon souillé.

– Oh! rangez cette chose répugnante. Vous avez gâché mon après-midi.

Sur ce, la duchesse alla elle-même réparer les dégâts dans la tranquillité des toilettes des dames. Je battis en retraite prestement.

Je croisai Sir Peter et son épouse, Lady Ashmore, lancée dans un babillage incessant qui importunait clairement son mari. Elle portait toujours des robes tout à fait inappropriées. Je m'approchai du paddock où la foule se pressait pour voir les concurrents de la course suivante. La reine-mère parlait au vicomte Whitelaw, le vice-Premier ministre, qui vacillait sur ses jambes et avait le visage rouge betterave. De toute évidence, le soleil affectait son teint. Quand il oscilla à nouveau, sa femme, Lady Whitelaw, décida que le moment était venu d'agir. S'excusant auprès de la reine-mère, elle entraîna le vicomte vers l'endroit où l'on servait le thé.

Même après que les trois premières courses eurent été disputées, les gens continuèrent à franchir les portillons, et l'enceinte royale commençait à être quelque peu surpeuplée. J'avisai la princesse Anne émergeant de la loge royale en compagnie de Lady Diana Spencer et du frère de celle-ci, le vicomte Althorp. Il ne semblait pas le moins du monde affecté par les récentes révélations de la presse sur la discothèque d'homosexuels d'East London où on l'aurait vu vêtu de harnais et de chaînes. Il ne donnait certes pas cette impression maintenant avec sa jaquette en soie élégante et digne.

Le contraste était saisissant avec Cyril Dickman, l'intendant du palais, qui franchit une porte en titubant, vêtu d'un costume trois pièces élimé dont les boutons de la veste aspiraient à être libérés de la pression de sa gigantesque panse. Avec un hochement de tête, il fonça droit sur le duc de Northumberland.

– Regardez donc où vous allez, espèce d'imbécile, protesta Sa Grâce.

– Désolé, mais je dois me rendre au guichet, riposta un Dickman irrité.

– Ce toupet... fit le duc, incrédule.

J'écoutais les remarques caustiques du major Phelps, surintendant des Écuries Royales, sur le déjeuner – « pingouins farcis », « mouton présenté comme de l'agneau » – quand le chef royal fit une réapparition spectaculaire, une bouteille de champagne presque vide à la main, l'air barbouillé. Était-il sur le point de succomber aux méfaits de l'alcool en dépit de sa résistance sans égale ? Il passa près de moi en marmonnant quelque chose comme « champagne », « saleté » puis changea de vitesse et se rua vers la barrière entourant le champ de courses pour vider le contenu de son considérable estomac. Horrifiés, les invités se détournèrent, et même Larry Hagman ne parvint pas à sourire. Je me réfugiai sous la grande tente, résolu à ne pas être à nouveau distrait de mes fraises à la crème.

– Chériiiii !

Je levai les yeux de ma crème fraîchement fouettée pour regarder la dame à la voix étrangement familière.

– Chéri, assez de champagne, sinon tu ne me ramèneras pas au *Savoy* en un seul morceau !

Devant le bar, une célèbre vedette de « Dynasty » cherchait à se faire remarquer et poussait des rires hystériques.

– Allez, trésor, fit un autre Américain, titubant dangereusement près d'un extra chargé d'un plateau de verres. On va faire rouler la tente !

Un reniflement méprisant me fit me retourner.

– On ne peut plus aller nulle part sans tomber sur ces fichues stars américaines, soupira le comte de Home.

Finalement, ce fut pour moi l'heure de partir. J'avais une importante réunion à Londres au sujet du prochain voyage en Écosse ; et j'en avais assez vu pour la journée. Ma dernière vision de l'enceinte royale, ce fut Lord Napier and Ettrick, Maître de la Maison de la Princesse Margaret, se précipitant, l'air contrarié, vers la loge royale. Qu'arrive-t-il à la princesse ? m'interrogeai-je, sans toutefois m'arrêter pour le découvrir.

Au moment où je franchissais la grille, une voix me héla.

– Alors, Malcolm, vous avez touché un gagnant ?

Mr. Humphrey me souriait aimablement, une assiette surchargée de sandwiches et de gâteaux à la main.

– Un seul, dis-je. Et vous ?

La réponse vint, triomphante :

– Quatre sur quatre !

– Si vous continuez comme cela, vous pourrez bientôt prendre votre retraite, suggérai-je en songeant, pour la millième fois, que la fortune sourit aux indolents.

– Vous rigolez ? Je sais quand je tiens une bonne combine, s'exclama mon collègue, ravi. On se retrouve au bureau la semaine prochaine, Malcolm.

Comme Mr. Humphrey repartait vers l'enceinte royale pour rejoindre sa femme, une autre voix derrière moi réclama mon attention.

– Hé ! vous ! fit la toute petite dame. Z'auriez pas vu mon bonhomme ?

C'était bien sûr Freddie Gentle.

– Non, désolé, Freddie. Je ne l'ai pas vu depuis... oh ! depuis un moment.

– Attendez que je mette la main dessus, menaça-t-elle. Attendez !

Diable, pensai-je. Voilà un spectacle auquel j'aimerais beaucoup assister.

Palais de Buckingham

19 - 30 juin

1

Nous étions le lundi 19 juin et tout le monde préparait la prochaine visite de la Cour au palais de Holyrood, en Écosse. Vers onze heures du matin, l'écuyer de la Couronne, Sir John Miller, tenta de joindre Mr. Humphrey à Buckingham. En l'absence de mon collègue, je pris la communication. Sir John me dit que la reine désirait être informée des progrès d'un de ses chevaux récemment acquis, que Humphrey entraînait dans son écurie personnelle de Windsor Great Park. Où était Humphrey, c'était ce que Sir John, voulait savoir. Comme d'habitude, je n'en savais rien non plus.

Sir John demeura un moment assis à son bureau, le front plissé, se demandant où il pourrait bien trouver Humphrey. Il y avait pas mal de travail à cette période de l'année mais n'ayant personnellement pas grand-chose à faire, l'écuyer de la Couronne décida d'aller inspecter la réfection des logements du Personnel dans la cour carrée des Écuries. Avec un peu de chance, le résultat se révélerait insatisfaisant, ce qui lui permettrait de gémir auprès de son administrateur sur le travail bâclé et le déclin des valeurs.

Refermant la porte derrière lui. Sir John traversa la cour de devant, passa sous le magnifique arc dorique et s'avança dans la cour carrée, évita de justesse une balle de tennis expédiée par la raquette d'un enfant braillard.

– Mais qu'est-ce que... ? commença Sir John.

Le major Phelps, surintendant des Écuries Royales, arriva en soufflant comme un éléphant obèse.

– A quoi vous jouez, bon Dieu, Sir John ? brailla-t-il. Regardez devant vous.

– D'accord, d'accord. Cessez de piailler comme un poulet en détresse, répliqua l'écuyer. (Il se tourna vers l'enfant fautif.) Et faites immédiatement rentrer cette misérable créature.

Sir John entama son inspection, fit la grimace devant les coups de pinceau irréguliers sur les portes écarlates, émit un « tss-tss » désapprobateur face aux traces de doigts sur les murs fraîchement repeints, pinça les lèvres en voyant les éclaboussures de peinture noire tombée des grilles sur le macadam. Oui, il y aura matière à se plaindre, pensa-t-il, ravi. Que pouvait-il trouver d'autre ?

« Splaaash... »

Il n'y eut pas d'avertissement.

Sir John, qui se tenait sous un des appartements du Personnel au premier étage, se retrouva trempé d'eau savonneuse. « Ahr... Grr... Pff », bredouilla l'écuyer à présent aquatique tandis que l'eau froide traversait son costume Gieves and Hawkes, sa chemise de Jermyn Street, et élisait résidence sur sa peau. « Qu'est-ce qu'il m'arrive ? »

Il lui fallut un moment pour rassembler ses esprits, passant de l'incrédulité outragée à l'horreur absolue. « Mes chaussures », se lamenta-t-il. Il leva un regard désemparé vers le bâtiment, et soudain son regard s'assombrit. L'individu qui avait eu le front de lui infliger une douche apéritive allait devoir s'expliquer !

Aspergeant d'eau la peinture noire en train de sécher, il monta l'escalier extérieur conduisant à l'appartement qu'il soupçonnait être celui du coupable, frappa bruyamment à la porte. Une femme boulotte, à la poitrine forte, apparut sur le seuil, la mine rébarbative.

– Arrêtez ce chambard, nom de... Doux Jésus, Sir John ! Qu'est-ce que vous avez fait ?

– C'est plutôt ce que *vous* avez fait qui demande une explication, Mrs. Du Pont, rétorqua l'écuyer de la Couronne, furieux et frissonnant. Comment osez-vous me couvrir de la tête aux pieds de votre eau de lessive ?

– Ben, comment je pouvais savoir que vous étiez sous la fenêtre de ma cuisine ? Mon évier est bouché, j'ai pas d'autre endroit pour jeter l'eau.

Plissant les yeux d'un air accusateur, Mrs. Du Pont poursuivit :

– Qu'est-ce que vous faites ici, d'ailleurs ?

– Là n'est pas la question, impertinente ! fulmina Sir John. J'exige de voir votre mari sur-le-champ.

– Faut attendre qu'il rentre du *pub*, et je peux pas vous dire s'il sera en état de parler. D'ici là, vous pouvez peut-être déboucher l'évier vous-même. Ça devrait pas être long pour un homme intelligent comme vous.

Sir John décida qu'il était inutile de poursuivre la conversation, d'autant qu'il se rappelait maintenant que le mari était celui qui avait pissé par cette même fenêtre quelques semaines auparavant.

Portier, Mr. Du Pont aimait aller au *pub*, pas pour boire de la bière, cependant. Non, dans la famille, l'amateur de bière, c'était Mrs. Du Pont ; lui préférait le scotch. Dernièrement, il avait montré un goût si vif pour ce breuvage qu'on avait dû le relever de ses fonctions de maréchal-ferrant, qu'il ne remplissait plus convenablement – voire plus du tout, en fait. Depuis, il passait ses journées dans une loge de garde de la cour des Écuries Royales, regardant son poste de télévision et s'efforçant de garder le moral.

Lorsqu'il fut un peu plus sec, Sir John se mit de nouveau en quête de Mr. Humphrey et téléphona à Tims. Je me trouvais justement dans le bureau de ce dernier, discutant de dispositions à prendre pour le prochain séjour à Holyrood. Il faisait un temps splendide, et contemplant par la fenêtre avec envie le soleil dont j'étais privé, je me promis de faire une promenade dans Hyde Park après le déjeuner.

– Où est Humphrey? tonna Sir John dans l'appareil. La reine veut des nouvelles de son cheval.

Tims n'en savait rien non plus. Fort embarrassé, il assura qu'il allait se renseigner puis fit le numéro de téléphone du domicile de mon collègue. Bien entendu Humphrey était chez lui, à Windsor.

– Bonjour, Mr. Humphrey, dit Tims, un tantinet surpris de l'avoir trouvé si facilement. Pourquoi n'êtes-vous pas venu au palais ce matin?

– Ben, vous voyez, Mr. Tims, il y a une couche de neige si épaisse ici, que je n'arrive pas à sortir la voiture, répondit l'obèse, malgré la chaleur accablante.

– Qu'est-ce que vous racontez, voyons?

– C'est vrai, Mr. Tims, ma bagnole est bloquée par la neige, je peux pas venir aujourd'hui.

– Mr. Humphrey, fit Tims, gardant son calme à grand-peine, Windsor n'est qu'à une trentaine de kilomètres de Londres et il fait un temps superbe, ici. Vous ne pouvez pas avoir de neige à Windsor!

– Ça, je reconnais que c'est anormal pour la saison...

Mr. Tims, qui avait déjà eu une dépression nerveuse dans l'exercice de ses fonctions, commençait à perdre patience.

– Humphrey, soyez ici dans trente minutes sinon vous raconterez cette histoire lamentable au chambellan de la Maison Royale. Moi je vous dis qu'il ne neige pas à Windsor!

Humphrey arriva une heure plus tard, juste à temps pour un plantureux déjeuner dans la salle à manger des officiers. Quand j'eus finalement l'occasion de l'interroger sur le manque d'à-propos de son excuse pour ne pas venir travailler, il me toisa de son air avantageux et lâcha simplement :

– Oh ! allez vous faire voir.

2

A la fin du mois de juin, Sir Peter Ashmore prenait les dernières dispositions pour que le séjour de la Cour dans l'arrière-pays écossais soit aussi confortable que possible. La reine ne s'entendait pas toujours très bien avec le maître de sa Maison, qu'elle trouvait autoritaire, même avec elle. D'ailleurs, elle n'avait pas un penchant irrésistible pour les officiers de marine, dont elle avait plus que sa part dans sa propre famille, à commencer par le duc.

Comme nous n'étions plus qu'à deux jours du départ pour l'Écosse, Sir Peter devait nous faire un briefing après le déjeuner. Je me détendais au bar devant un gin-citron après avoir laissé Mr. Humphrey dans notre bureau, rédigeant une note à la reine sur le cheval dont elle était impatiente d'avoir des nouvelles. Mon plantureux collègue avait griffonné quelques phrases mal construites sur une feuille de papier froissée, et je lui avais fait remarquer, avant de partir, que dans toute correspondance adressée à la souveraine, un membre de la Maison Royale devait commencer par présenter « humblement ses respects ». Mr. Humphrey avait simplement écrit « Votre Majesté », ce qui pouvait être considéré comme très cavalier. « La reine s'occupe pas de toutes ces foutaises », avait-il grogné quand j'avais souligné son erreur. Bien entendu, elle y porte la plus grande attention.

Paul Almond, le souffleur de « framboises », assis à côté de moi dans le bar, était ce jour-là de mauvaise humeur. Comme nous bavardions, Sir Peter passa devant l'entrée.

– Tiens, voilà l'autre andouille! s'exclama Paul, projetant son mécontentement sur la personne la plus proche ne recueillant pas son approbation.

Sir Peter se figea, scruta le bar, qui n'était pas l'un de ses territoires préférés. Il avait manifestement entendu la remarque. Fusillant Paul du regard, il lança, « Faites un peu moins de bruit, là-dedans », et s'éloigna. Il était encore à portée de voix lorsque Paul commenta à voix haute. « Ça lui remettra les pieds sur terre à ce vieil emmerdeur », avant de rugir de rire. Sir Peter ne revint pas pour une deuxième dose.

A quatre heures de l'après-midi, Sir Peter Ashmore ouvrit la réunion dans son bureau, où les officiers les plus importants s'étaient rassemblés pour entendre ses dernières instructions sur le séjour à Holyrood. Moi-même, Tims, un gentleman du nom de Michael Parker et Mr. Humphrey étions assis en demi-cercle devant son bureau.

Sir Peter était un sexagénaire grand et plein d'allure – exception faite pour ses oreilles, encore plus décollées que celles du prince Charles. Ancien vice-amiral de la Royal Navy, il gouvernait le palais comme il l'eût fait d'un de ses bateaux. Aimant user de métaphores marines, il me demandait souvent de passer le voir « sur la passerelle ». Vêtu d'un costume sombre à fines rayures – autrefois splendide, à présent fatigué et élimé – il se gratta le nez d'un air pensif.

– Messieurs, commença-t-il derrière son énorme bureau en teck, je veux que vous preniez tous note des dernières recommandations que j'ai à faire pour le voyage à Holyrood.

La pièce, donnant sur Buckingham Palace Road, était confortable et agréable avec ses tapis persans rose pâle et ses tableaux de marine.

– Comme vous pouvez le lire sur la feuille que je vous ai remise... Humphrey, vous écoutez? Cela vous concerne, vous savez? poursuivit Sir Peter, lançant un regard interrogateur à mon collègue.

– Euh, comment, Sir Peter ? fit l'obèse, levant les yeux de son giron.

– Je vous demande si vous écoutez.

– Bien sûr, Sir Peter. Pourquoi ?

Sans répondre, l'ex-vice-amiral revint à la feuille posée devant lui.

– Voyons, où en étais-je ?... Ah ! oui. Comme vous le constaterez, il y a encore un ou deux points qui me préoccupent... Mr. Humphrey ? Je peux vous aider ?

L'amant de Freddie glissa vivement son journal sous sa chaise et dit :

– 'mande pardon, Sir Peter ?

– Je puis vous aider ?

– A quoi faire ?

– A lire votre journal. Je ne suis pas aveugle, vous savez.

– Sir Peter, je vous assure que j'ai écouté tout ce que vous disiez.

– Vraiment ? Et de quoi s'agissait-il ?

– Du palais en Écosse.

– Mais encore ? fit Sir Peter, exaspéré.

Humphrey, perplexe, se gratta la tête.

– Qu'est-ce que vous voulez dire ? bredouilla-t-il, pour gagner du temps.

– Bon, passons. Maintenant, si tout le monde veut bien accorder quelque attention à la feuille que j'ai distribuée...

Le maître de la Maison Royale marqua une pause puis reprit :

– Comme je le disais, il y a un ou deux points que je souhaite aborder. Primo, où en êtes-vous, Parker, pour le ravitaillement dont nous avons discuté ces derniers mois ? Tout est en ordre ?

Parker se mit au garde-à-vous sur sa chaise.

– Je suis désolé, Sir Peter, que disiez-vous ?

Il parlait toujours trop fort, trop vite, en accentuant fortement chaque mot.

Sir Peter se renversa sur le dossier de son fauteuil, secoua la tête d'un air incrédule. Après un bref silence, il revint à la charge :

– J'aimerais savoir, Parker, si vous avez pris les dispositions pour fournir au palais de Holyrood tout ce dont la reine aura besoin pour son séjour d'une semaine.

D'un ton assuré, Parker beugla :

– Oui, Sir Peter ! Certainement, Sir Peter ! Tout est en ordre, Sir Peter !

Son supérieur ne paraissait pas convaincu.

– Vous en êtes sûr ?

– Oui, Sir Peter ! Tout est réglé, Sir Peter ! Pas de problème, Sir Peter !

– Parker, vous n'êtes pas obligé de m'appeler « Sir Peter » tout le temps. Une fois suffit.

– Bien sûr, Sir Peter !

– Bon. Je vous informe que j'ai prévenu la maison Forsythes d'Édimbourg que du fait de l'augmentation de ses prix, Sa Majesté ne renouvelait pas sa commande cette année. Je compte donc sur ce wagon que vous envoyez de Londres.

Parker lança un vigoureux « C'est réglé, Sir Peter ! » puis se remit à contempler le tapis.

Responsable du secteur alimentation de Buckingham, Michael Parker occupait un poste important. Il était responsable de l'approvisionnement de tous les membres de la famille royale, tant pour les banquets officiels que pour les repas quotidiens. Approchant de la quarantaine, c'était un curieux personnage. Avant Buckingham, il avait sévi – Dieu préserve l'hôtellerie ! – au *Savoy*. Dépenaillé, les cheveux bruns clairsemés et gras, il marchait toujours les mains dans les poches, et question dos voûté, il aurait rendu des points à Bobo Macdonald elle-même.

La reine n'avait aucune estime pour lui et le trouvait incompétent. Il n'y avait qu'un très petit nombre de ses attributions dont il réussissait à s'acquitter sans que quelque chose aille mal. Plus grave encore, Sa Majesté le soupçonnait d'avoir un côté voyeur car il ne perdait pas une occasion de l'épier. Souvent elle le surprenait à l'affût derrière un buisson dans les jardins du palais, ou sur le seuil d'une salle à manger où elle dînait avec ses invités.

La plupart du temps, nous nous contentions de rire de son incapacité, en nous résignant au fait qu'il ne changerait jamais. Mais un incident qui se produisit peu après son arrivée modifia quelque peu notre point de vue. Il y avait au palais un vieil homme aimable qui travaillait comme aide-cuisinier. Il s'appelait John Cleminson et bien qu'il ne travaillât pas directement sous les ordres de Parker, il incombait à celui-ci de le loger. Normalement, un employé comme Cleminson n'avait droit qu'à une des chambres les moins confortables allouées au Personnel, puisqu'il occupait le barreau le plus bas de l'échelle hiérarchique. Mais à cause d'un problème cardiaque, son médecin avait recommandé qu'il ne monte pas d'escalier et ne fasse pas d'efforts inutiles.

Pendant plusieurs mois, l'aide-cuisinier vécut dans une chambre au rez-de-chaussée proche de l'endroit où il travaillait. Un problème surgit toutefois quand on ajouta à l'équipe du chef royal un nouveau sous-chef, à qui il fallut trouver un logement. L'aide-cuisinier occupant une des pièces réservées normalement à ses supérieurs, Parker décida que Cleminson devait vider les lieux. Ce qu'il fit.

Quoique au courant des problèmes cardiaques de l'employé, Parker s'était mis en tête qu'il en exagérait la gravité, peut-être dans l'espoir d'obtenir un meilleur logement que celui auquel il pouvait prétendre. Il lui affecta donc une boîte à chaussures, ni au premier, ni au deuxième, ni au troisième étage, non, mais au grenier!

Homme docile, n'aimant pas créer de problème, l'humble aide-cuisinier accepta le déménagement sans se plaindre et continua à travailler. Deux semaines plus tard, il était mort. Les efforts faits pour descendre et monter un escalier qui aurait éprouvé un homme de vingt ans lui avaient été fatals.

Sir Peter Ashmore fut stupéfait quand on l'informa de la tragédie car c'était lui, à l'origine, qui avait été chargé de loger le vieil employé. L'ordre de lui donner une chambre au rez-de-chaussée n'avait pas été annulé. Parker avait passé outre aux instructions de Sir Peter, causant inutilement la mort d'un des serviteurs de la reine. Chose incroyable, on ne demanda pas à Parker de donner sa démission. L'affaire fut étouffée et tout le monde crut que le décès de l'aide-cuisinier était naturel.

– Sir Peter ? fis-je, pressé d'en finir pour rentrer chez moi. J'ai oublié de préciser que je remplacerai John Humphrey à Holyrood cette année si cela ne pose pas de problème.

– Pourquoi n'y allez-vous pas, Humphrey ? demanda notre chef d'un ton soupçonneux.

– Comment, Sir Peter ? dit mon collègue, levant à regret les yeux de son journal.

– Humphrey, cela passe les bornes ! Vous ne m'avez pas écouté du tout ?

– Mais si, Sir Peter, se défendit l'obèse, l'air offensé. Franchement, je trouve ça injuste. J'ai entendu tout ce que vous avez dit.

– Passons, soupira à nouveau Sir Peter, résolu à ne plus perdre son temps avec l'énergumène. Malcolm vient de m'annoncer que vous ne pouvez pas être à Holyrood cette année. Pourquoi ?

– Euh, oui, je suis content que vous me posiez la question, Sir Peter.

– Alors ? Pourquoi ?

– Oui, oui, tout de suite. Je ne peux pas y aller cette année parce que... parce, hum, voilà, une des juments a attrapé un rhume, et j'ai promis à Sa Majesté de rester pour m'occuper d'elle.

– Vous ne pouvez pas confier cette tâche à l'un de vos subalternes ? Vous n'en manquez pas.

– Oh ! non, non, non. Je ne veux pas me dérober à mes responsabilités. Quand on donne sa parole, on doit la tenir. C'est pour la reine, vous savez, Sir Peter.

– Si c'est pour la reine, je suppose que je dois être d'accord, fit le maître de la Maison Royale. Pour répondre à votre question, Malcolm, je n'y vois pas d'inconvénient. Ravi de vous avoir avec nous.

Pendant la réunion, Sir Peter reçut un coup de téléphone du secrétaire particulier de Sa Majesté et dut s'absenter quelques minutes. Tims le remplaça et s'installa d'un air suffisant derrière le bureau du maître de la Maison Royale. Mais à peine avait-il commencé à parler que Humphrey levait la main et l'interrompait.

– Excusez-moi, Mr. Tims...

Tims ne lui prêta pas attention.

– Mr. Tims...

Cette fois, l'assistant répondit froidement :

– Qu'est-ce qu'il y a, Humphrey ?

– Je peux aller secouer le colosse ?

– Secouer le colosse ?

– Oui, c'est ça. Je peux y aller ?

Tims parcourut la pièce d'un regard hésitant avant de demander :

– Que signifie cette expression, « secouer le colosse » ? Je ne l'ai jamais entendue.

– Ben, pisser ! s'exclama fièrement mon collègue.

Tims vira au rouge apoplectique. Humphrey s'était fichu de lui une fois de plus.

– Oui, allez-y.

Humphrey s'éclipsa rapidement, Sir Peter revint quelques secondes plus tard. Les questions de routine ayant été réglées, la réunion touchait à sa fin.

– Très bien, les gars, fini pour aujourd'hui, annonça Sir Peter en se levant. Parker, vous êtes sûr que le wagon arrivera en Écosse à temps ?

– Tout à fait, Sir Peter ! Pas de problème, Sir Peter.

– Parker, arrêtez de me donner du « Sir Peter » chaque fois que vous ouvrez la bouche. Ce n'est pas nécessaire.

– Désolé, Sir Peter !

– Assurez-vous simplement que ce wagon partira à temps.

– Tout à fait, Sir Peter! répéta Parker, beaucoup trop fort et beaucoup trop vite.

– Alors, je crois que c'est tout. Merci infiniment de votre patience.

– Sir Peter, Sir Peter! s'écria Humphrey, agitant les bras comme un fou.

– Quoi encore, Humphrey? fit le chevalier sans une once de chaleur.

– Je voudrais parler du nouveau parking.

– Qu'est-ce qu'il a, le nouveau parking?

– Ben, c'est juste pour dire que j'apprécie beaucoup le nouveau parking du palais.

Sir Peter leva les yeux au ciel puis soupira.

– Humphrey, nous nous sommes tous rendu compte qu'il y a un nouveau parking, merci.

– Non, non, je suis sincère, Sir Peter. Personne n'en a parlé mais moi, je tiens à vous dire que ça facilite drôlement la vie de venir en voiture...

– John, intervins-je, donnant à mon collègue un léger coup de coude, cela n'intéresse pas Sir Peter.

Notre chef mit fin à la réunion, la pièce se vida. Humphrey ne comprenait toujours pas ce qu'il avait fait de mal.

– Je vous remercie, Malcolm! Vous m'avez empêché de parler à Sir Peter de ma nouvelle voiture.

Nous étions le vendredi après-midi; lundi, la Cour de la reine partirait pour Holyrood Palace, ancienne résidence de Marie, reine d'Écosse et de son mari Lord Darnley, assassiné quelque quatre cents ans plus tôt.

Palais de Holyrood

1er - 7 juillet

1

Cependant que le train de British Rail filait vers Édimbourg, je dégustais un Courvoisier dans la pénombre du wagon-restaurant. N'ayant pu monter dans le train qu'une heure avant minuit, je résolus de ne pas tarder à aller me coucher dans ma cabine. Le voyage durerait dix heures environ et j'étais très fatigué. Il y a tant de dispositions à prendre quand la Cour se déplace qu'on peut être réellement épuisé.

Les officiers de la Maison Royale comme moi-même avaient le privilège de voyager en première classe quand ils accompagnaient la Cour. Les membres du Personnel (valets de pied, pages, cuisiniers et autres domestiques) voyageaient en deuxième, dans des voitures situées quelque part à l'autre bout du train. Si le trajet était relativement court – jusqu'au château de Windsor, par exemple – je pouvais utiliser l'une des dix Jaguar de Sa Majesté, généralement celle qui était immatriculée « BP 3 ».

Pour les déplacements à l'étranger, Sa Majesté dispose de son avion personnel British Airways L1011, spécialement aménagé pour elle. Les laquais et les pages la précèdent sur un vol ordinaire, en classe économique. Deux exceptions cependant : le chef royal et l'intendant du palais de la reine qui, bien qu'appartenant au Personnel, ont droit à la première classe pour la seule raison qu'ils ne parviennent pas à caser leur corpulence dans les sièges de la classe économique.

Chassant de mon esprit l'image du chef, je regardai par la fenêtre le paysage plongé dans le noir. De temps à autre une grappe de lumières vives annonçait un village, seul signe de vie dans le désert de la nuit. L'éclairage intime du wagon-restaurant – ou le cognac, je n'aurais su dire – donnait un peu de chaleur à cette désolation.

Miss Victoria Martin, ex-responsable des femmes de chambre, se précipita dans la voiture, la chevelure en désordre, l'air d'avoir vu un fantôme. Je lui suggérai de s'asseoir, demandai au serveur de lui apporter quelque chose de fort.

– Oh ! Mr. Barker, je n'aurais jamais cru qu'une chose pareille arriverait ! débita-t-elle, le souffle court.

Plusieurs minutes s'écoulèrent avant qu'elle ne soit en mesure de m'expliquer la raison de sa frayeur. Un grand verre de cognac à la main, elle finit par se ressaisir.

– Je viens de traverser la voiture du personnel, Mr. Barker...

Elle s'interrompit pour déglutir.

– Oui, Miss Martin, et que s'est-il passé ?

– Oh ! c'était horrible, Mr. Barker. Horrible.

– Je n'en doute pas. Racontez-moi donc ce qui vous a mis dans un tel état. Vous vous sentirez mieux ensuite.

– Eh bien, commença-t-elle lentement, je traversais la voiture du Personnel, où presque tout le monde était ivre...

Rien de nouveau, pensai-je, mais je continuai à lui prêter l'oreille.

– Oui, Miss Martin. Et ensuite ?

Elle paraissait au bord de l'hystérie.

– Je... je leur ai dit d'arrêter... que leur conduite était scandaleuse.

– Oui, Miss Martin.

Elle allait craquer, je le sentais.

– Et alors l'un d'eux... l'un d'eux...

– Oui, Miss Martin ?

– L'un d'eux m'a dit...

– Qu'est-ce qu'il vous a dit ?

– ... de foutre le camp !

Silence. J'avais imaginé une tentative de viol, pour le moins. Je me montrai néanmoins compatissant. Portant une vieille main tremblante à sa poitrine, elle poursuivit :

– C'était affreux, Mr. Barker, affreux. Ces jeunes laquais ont usé à mon égard d'un langage répugnant. Je peux vous dire que je suis bouleversée, tout à fait bouleversée.

Elle avala une gorgée de cognac, redressa son chignon, lissa sa jupe plissée sombre, replongea dans son récit cauchemardesque.

Miss Martin continua ainsi pendant quelques heures. Lorsqu'elle eut terminé, je la reconduisis à son compartiment.

Comme je l'ai dit, elle avait été autrefois responsable des femmes de chambre de Buckingham Palace mais à présent, on la sortait de la naphtaline uniquement pour nous aider dans les périodes de gros travail. Solidement bâtie, la mine aussi sévère que ses chaussures noires renforcées, Miss Martin était le personnage le plus édouardien que j'eusse jamais rencontré. Ayant été au service du roi George V au début des années 1930, elle ne pouvait se faire à l'idée que la vie avait radicalement changé.

Toutefois le pire lui fut épargné cette nuit-là puisqu'elle était couchée quand une véritable rixe éclata chez les laquais. Les contrôleurs de British Rail luttèrent jusqu'au petit matin pour ramener un semblant de calme chez les pages et les valets. Un des employés de la compagnie fut brutalisé par deux domestiques qui s'en prirent à lui avec leurs poings et un plateau de sandwiches. Si certains feront valoir que l'échauffourée, mineure, se limita à une seule voiture du train, les cris, les chamailleries, les cavalcades dans les couloirs finirent par gêner considérablement les autres passagers. Un peu avant l'aube, un contrôleur menaça même d'arrêter le train en pleine campagne et d'en faire descendre tous les membres du Personnel de la reine s'ils ne se calmaient pas.

L'employé rudoyé par les valets se plaignit à son supérieur d'Aberdeen, qui en référa à Sir Peter Ashmore, à Londres. L'homme envoya même au maître de la Maison Royale une lettre dans laquelle il comparait les serviteurs de Sa Majesté à « une bande de hooligans revenant d'un match de football » avec laquelle il avait eu le malheur d'être confronté un jour.

En deux décennies, les conditions avaient considérablement changé à la Cour de la reine. Sa Majesté ne pouvait plus disposer d'un personnel de la même qualité qu'autrefois. Dans de nombreux cas, elle devait se contenter de ce qu'on trouvait, et souvent le niveau n'était pas très élevé. Nombre d'emplois étaient confiés à des jeunes gens ayant simplement écrit au palais pour demander s'il y avait des postes vacants. Régulièrement, des parents eux-mêmes écrivaient pour savoir si leur « excellent petit gars » pouvait avoir l'honneur de servir la « reine bien-aimée ». Pour de nombreux parents, le palais de Buckingham semblait être une solution de rechange à la maison de correction.

Heureusement, il y avait quand même une ou deux personnes formidables et dévouées au service d'Élisabeth II. John Taylor, page des Appartements de la Reine, en est un parfait exemple. Sa Majesté s'en remet chaque jour à ce fidèle serviteur, qui fait remarquablement son travail. Mais pour la plupart, les membres de la Maison Royale sont bien loin de donner satisfaction. Comme pour d'innombrables autres fois où le Personnel se montra indigne de ses fonctions, Sir Peter infligea aux fautifs une sévère réprimande pour l'incident du train, mais aucun d'eux ne fut renvoyé. Et ce, bien que leur conduite fût aussi déplorable pendant le voyage retour ! Par bonheur il n'y eut cependant qu'un incident qu'on peut qualifier de grave pendant le retour, mais comme je le fis valoir par la suite à Sir Peter pour défendre les laquais, ce fut essentiellement la faute du chien.

2

Il y avait un certain nombre de gueules de bois le lendemain matin quand je descendis du train d'Édimbourg à huit heures et demie. La gare de Waverly Street se trouve seulement à un kilomètre et demi du palais d'Holyrood, mais il fallut déployer beaucoup d'efforts pour rassembler laquais et pages et les diriger vers leur autocar. Je les suivis en voiture.

La reine arriva au palais vers deux heures de l'après-midi avec sa mère, Sir Peter Ashmore, la duchesse de Grafton et l'un de ses principaux conseillers. Tous étaient venus de Londres dans l'un des vieux avions Andover de Sa Majesté. Lorsque l'appareil se posa à l'aéroport d'Édimbourg, situé à une demi-heure en voiture de Holyrood, la Rolls Royce noir et marron de la souveraine (offerte par la firme en 1978 pour le Jubilé d'Argent de la reine) les attendait.

Dès son arrivée au vaste palais hérissé de tourelles, la reine dut accomplir le rituel connu sous le nom de Cérémonie des Clefs : le lord lieutenant vient au palais lui remettre les clefs de la ville d'Édimbourg. C'est une coutume très ancienne, et assommante. La reine déteste cette corvée, mais comme pour beaucoup d'autres aspects de sa vie, elle est contrainte de jouer son rôle. Le voyage lui-même, par exemple : Élisabeth II doit se rendre à Holyrood pour continuer à s'affirmer comme la reine d'Écosse. De même que Windsor et Buckingham, le vieux palais écossais n'est pas propriété personnelle de la souveraine. Il appartient à la ville d'Édimbourg et c'est la résidence qu'elle aime le moins. Elle redoute cette obligation qu'elle doit remplir chaque année, même si ce n'est que pour une semaine.

Les appartements royaux sont confortables mais même à la saison la plus chaude de l'année, un peu de chauffage n'est pas de trop. Le palais est constamment humide, plein de courants d'air, et les soirées peuvent être glaciales. Excepté pendant cette semaine, l'ensemble du palais, appartements royaux compris, est ouvert au public. La seule pièce qui ne soit pas visitée, c'est la chambre de la reine. Rares sont les membres de la famille royale qui se proposent pour accompagner Sa Majesté dans son expédition annuelle à Holyrood, et ceux qui y consentent ne le font qu'à contrecœur. Le duc d'Édimbourg est attendu là-bas chaque année mais il coupe généralement à la corvée un an sur deux. La princesse Anne et ses frères s'arrangent pour n'y aller qu'une fois tous les trois ou quatre ans, et la princesse Margaret refuse d'y mettre les pieds.

Peu après la Cérémonie des Clefs, un Sir Peter très embarrassé se présenta chez la reine pour annoncer un petit, tout petit problème : il n'y avait rien à manger. Le wagon transportant les denrées nécessaires pour une semaine de séjour n'était pas arrivé ! Pis encore, il contenait aussi les vins et les alcools des caves royales. Malgré les rappels répétés de Sir Peter, Michael Parker, apprit-on, avait complètement oublié ce « détail », et il fallut aviser la reine qu'il n'y avait même pas un litre de lait au palais : les buffets étaient vides.

Sir Peter multiplia les coups de téléphone. D'abord à la maison Forsythes d'Édimbourg, qui fournissait habituellement toute l'épicerie pour le séjour de la reine au palais. Malheureusement, elle ne put livrer, dans un délai aussi court, qu'une petite partie de ce qui était indispensable. On était fort loin de ce dont nous avions besoin pour les banquets, les garden-parties, les repas quotidiens de la reine et de sa famille, sans parler de la Maison Royale.

Sir Peter finit par se rendre lui-même en ville et passer de magasin en magasin afin d'acheter assez de provisions pour nourrir au moins tout le monde ce soir-là. En revenant à Holyrood, il trouva d'autres problèmes : la reine avait froid, très froid. Car tandis que Sir Peter faisait les courses, le chauffage du palais était tombé en panne; une heure plus tard, il n'y avait plus d'électricité non plus, et personne ne semblait en mesure de réparer. Responsable de la maintenance de Holyrood, la municipalité d'Édimbourg assurait d'ordinaire un service rapide, mais elle employait des ouvriers syndiqués, dont aucun n'acceptait de s'aventurer à Holyrood à cette heure de la journée : il était plus de cinq heures.

Ce fut donc le lendemain matin seulement que la ville finit par envoyer quelqu'un pour procéder aux réparations nécessaires. Sa Majesté dut passer la nuit dans un palais humide et froid, sans rien à manger ou presque, sans une goutte de vin dans toute la maison. Le Personnel mit des bouillottes chaudes dans le lit royal, planta des bougies çà et là dans les chambres lugubres. La reine n'eut pas un seul mot désagréable pour quiconque, excepté Sir Peter. Il en alla tout autrement pour la duchesse de Grafton.

3

Je n'avais jamais été de ceux qui accordent foi aux vieilles histoires faisant du palais de Marie Stuart un lieu hanté. En fait, je ris normalement de ces sornettes. Je n'ai jamais cru aux fantômes, aux esprits, aux forces surnaturelles ni à toute autre forme de communication avec les morts. Jusqu'à mon séjour au palais de Holyrood, s'entend.

Au château de Windsor, j'avais mon bureau dans la pièce où George III fut enfermé pendant sa période d'instabilité mentale. A Holyrood, je fus logé dans la partie la plus ancienne du palais, dont la construction avait commencé en 1498. Je me sentis un peu faible quand on m'annonça que ma chambre appartenait aux anciens appartements de la reine d'Écosse elle-même.

C'était une pièce spacieuse à lambris de chêne dont le tapis rouge recouvrait un vieux plancher grinçant. Deux lourdes armoires de chêne occupaient l'un des murs ornés de tableaux de nobles Écossais du Moyen Age. Seule concession à la vie moderne, une table de toilette dans un coin. L'étroitesse des deux fenêtres maintenait la chambre dans la pénombre même en plein jour.

La première nuit, je lus longuement au lit en tâchant de me convaincre que ces histoires d'apparitions étaient totalement absurdes. J'y serais sûrement parvenu à la lumière électrique. A la lueur d'une bougie, j'eus quelque difficulté à chasser de mon esprit les images maléfiques. Pour quelqu'un qui n'a jamais mis les pieds à Holyrood, il peut sembler ridicule que l'image de Marie Stuart et la silhouette ensanglantée de son mari assassiné, Lord Darnley, aient été cette nuit-là si impressionnantes. Mais quand on se trouve dans la pièce même où l'affaire se déroula, c'est peut-être compréhensible. Songez-y... Dans la pièce même, à minuit, avec une bougie pour toute lumière!

Je dus m'assoupir. Je dormais depuis deux ou trois heures quand je m'éveillai en sursaut. La bougie était éteinte – probablement un courant d'air ou autre chose (c'était cet « autre chose » qui ne me plaisait pas). Je sentais une présence étrange dans la chambre, comme si je n'étais pas seul. Je me levai, rallumai la bougie, allai à la porte. Elle était toujours fermée à clef. Je m'approchai lentement des fenêtres, scrutai la nuit. Tout semblait normal. Glacé, je retournai au lit.

La vaste pièce était oppressante et je ne parvenais pas à me défaire de l'impression qu'il y avait quelqu'un ou quelque chose avec moi. Je passai la plus grande partie de la nuit à lire. Le hurlement du vent, les craquements des vieilles poutres, c'était presque plus que je ne pouvais en supporter.

Lorsque je descendis pour le petit déjeuner, le lendemain matin, je devais avoir le teint pâle car un vieux factotum me demanda dans le hall :

– Qu'est-ce que vous avez, Mr. Barker ? On dirait que vous avez vu un fantôme.

Je lui contai ma nuit de frayeur et ajoutai :

– Je me sens idiot, pourtant. Je sais que c'était seulement un effet de mon imagination.

– Mr. Barker, fit le vieil homme d'une voix grave et calme, je travaille ici depuis quarante-cinq ans, et mon père et mon grand-père avant moi. Je peux vous dire que ce n'était pas votre imagination. Vous ne saviez pas que le fantôme de Marie, reine d'Écosse, hante le palais ?

Je dormis très peu par la suite.

Parker arriva à Édimbourg plus tard dans la matinée et fut aussitôt convoqué par un Sir Peter éreinté, qui semblait mourir d'envie de l'étrangler.

Lorsqu'il ressortit du bureau, on pouvait voir à son visage qu'il avait essuyé toute la rage de Sir Peter. Quand le maître de la Maison Royale l'avait questionné sur le wagon dont il avait assuré avec une telle confiance qu'il arriverait à temps, Parker avait simplement répondu : « Ouiiii. Oh ! mon Dieu, Sir Peter, cela a dû me sortir de l'esprit. » Il n'avait tout bonnement rien fait du tout.

Furieux, Sir Peter l'avait informé qu'il ne s'occuperait plus de l'approvisionnement à l'extérieur du palais de Buckingham. Ce fut toute sa punition. Le seul point amusant de cette lamentable histoire fut le commentaire que fit Humphrey à Buckingham en apprenant la bourde de Parker. « C'est bien de lui, tiens », me dit-il sans vergogne au téléphone.

Ça, c'était impayable.

4

Le deuxième et le troisième jour du séjour – dont la durée varie de cinq à huit journées – Sa Majesté consacre son temps à inaugurer des usines et à visiter des bâtiments selon les engagements pris avant son arrivée. Elle se rend également sur divers chantiers, profite de l'occasion pour inspecter les régiments dont elle est colonel. Bref, un programme pas très affriolant. On ne peut guère qualifier de passionnantes la visite d'une sinistre usine d'Édimbourg. Pendant ces corvées, la reine pense avec tendresse à son bien-aimé château de Balmoral, situé à deux cent cinquante kilomètres au nord.

Le quatrième soir, Parker rentra tard d'une beuverie et trouva les portes du palais fermées. Personne en vue pour lui ouvrir. Que faire ? Bien qu'on fût en juillet, il faisait froid dehors ; Parker était fatigué, il voulait se coucher. Il lui vint une idée. Il fit le tour jusqu'à la façade du bâtiment, lança un caillou dans une fenêtre du deuxième étage.

Pas de réponse.

Il recommença à jeter des cailloux.

Toujours rien.

Cherchant par terre autour de lui quelque chose de plus efficace, il ramassa une pierre, la lança avec force. C'était moi qu'il espérait réveiller pour que je descende lui ouvrir. Cette fois, la vitre vola en éclats avec un bruit retentissant dans le silence de la nuit. Je n'entendis toujours rien parce que Parker s'était trompé de fenêtre. Au lieu de ma modeste personne, ce fut un Sir Peter ahuri qui apparut à la croisée et baissa les yeux vers Parker.

– Qu'est-ce qu'il se passe ? Qu'est-ce que vous voulez ?

– Oh... ? Navré. Sir Peter. C'est vous, n'est-ce pas ? Aaah... Infiniment désolé de vous déranger mais, euh, on dirait que je ne peux pas rentrer. Je croyais que c'était la fenêtre de Malcolm.

– Bon sang, Parker, j'envoie quelqu'un vous ouvrir mais je veux vous voir dans mon bureau demain matin à neuf heures, vous m'entendez ? Neuf heures.

Mais le lendemain matin, Sir Peter eut d'autres soucis. La veille, le chef royal s'était fait réprimander par Sir John Miller pour avoir utilisé la porte personnelle de la reine afin de sortir du palais. Faute très grave. Le chef n'avait pas l'habitude d'obéir aux règles fixées pour le Personnel, très conscient que Sa Majesté appréciait énormément ses services. Il savait qu'elle ne le renverrait pas pour une telle peccadille.

« Allez vous faire foutre ! » avait-il déclaré à Sir John à l'extérieur du palais, avant de se concentrer à nouveau sur son objectif : parvenir au *pub* local dans le laps de temps le plus court possible.

En rentrant au palais, beaucoup plus tard, le chef et Cyril Dickman, l'intendant, s'amusèrent à tourner vers le bâtiment les guérites des Gardes Royaux Écossais chargés de veiller sur Holyrood. Elles demeurèrent dans cette position jusqu'au lendemain matin et nous nous demandâmes tous pourquoi les gardes n'avaient pas empêché qu'on les retourne, ou tout au moins ne les avaient pas remises dans le bon sens. L'explication vint plus tard dans la matinée, quand Sir Peter apprit que les deux gardes étaient allés au *pub* et n'avaient pas ensuite repris leur faction. Holyrood était resté toute la nuit sans surveillance. N'importe qui aurait pu y pénétrer.

Chose assez étonnante, les deux gardes conservèrent leur emploi.

5

Le cinquième jour du séjour, Sir John Miller, l'écuyer de la Couronne, décrocha le téléphone, demanda une voiture et un chauffeur.

– Où désirez-vous aller, Sir? s'enquit une voix déférente à l'autre bout du fil.

De son ton d'ancien d'Eton, Sir John répondit :

– Je veux aller à la piscine, et tout de suite.

– A la piscine, Sir? fit la voix, surprise.

– C'est ce que je viens de vous dire, non?

– Puis-je demander quelle piscine, Sir?

– Comment ça « quelle piscine », mon ami? La piscine où je vais toujours.

– Oui, Sir, mais c'est quelle piscine? insista le chauffeur, visiblement nouveau.

– La piscine de la famille royale, crétin. Qu'est-ce que vous croyez?

Si c'était une plaisanterie, elle n'amusait pas du tout le vieux chevalier.

– Si vous voulez bien m'excuser, Sir John, vous pourriez y aller à pied...

– A PIED? s'exclama l'écuyer de la Couronne, incrédule. Et pourquoi cela?

– Parce que si vous ouvrez votre porte et si vous marchez quelques mètres, vous trouverez la piscine royale à votre droite, fit le chauffeur avant de raccrocher.

Avant ce jour, il n'était jamais venu à l'idée de Sir John d'aller à la piscine à pied. Il demandait une voiture, y montait, serviette et caleçon de bain à la main, en redescendait moins de trente secondes plus tard. Après sa baignade, il réclamait à nouveau la voiture pour le retour.

Sir John ne comprenait vraiment pas l'époque moderne.

6

Le dernier jour de la visite de la reine en Écosse, il fallut assister à une garden-party. Il y a au total quatre garden-parties chaque année et Sa Majesté honore chacune de sa présence. L'une d'elles a lieu au palais de Holyrood en juillet et accueille plus de quatre mille invités qui se pressent dans les jardins pour boire du thé et bavarder. Selon la durée du séjour de la reine, une autre garden-party peut être organisée à Holyrood, identique à la première.

L'aristocratie écossaise, encore nombreuse, représente un pourcentage important de la liste des invités, mais la noblesse terrienne n'est pas seule à participer à la sauterie. On y remarque aussi des industriels, des notables, des politiciens locaux, ainsi que des citoyens ordinaires : un homme qui a risqué sa vie pour en sauver un autre, par exemple, ou la veuve d'un fermier qui se consacre depuis des années à une œuvre de charité. La liste de personnes de ce genre est sans fin.

Les invités s'étaient rassemblées sur une grande pelouse, derrière le palais, et le temps était par chance d'humeur coopérative. Tous attendaient la reine. Vers trois heures, Sa Majesté et la reine-mère arrivèrent avec une suite restreinte, se frayèrent lentement, patiemment un chemin parmi les invités ravis, bavardèrent sans cérémonie avec le plus de personnes possible. Déjà la reine-mère était en conversation avec une jeune nageuse ayant remporté une grande épreuve sportive pour son pays.

Tous les invités étaient élégamment vêtus pour la circonstance : messieurs en jaquette et haut-de-forme, dames en robe d'été et chapeau à fleurs. La reine elle-même portait une tenue fort simple, avec seulement quelques bijoux discrets. Où qu'il se trouve, un membre de la famille royale sait toujours ce qu'il doit faire. En l'occurrence, il s'agit de progresser en ligne plus ou moins droite vers l'autre bout de la grande tente. A la différence des cérémonies plus guindées de Buckingham, telles que grands banquets et autres obligations officielles, les garden-parties sont un exercice d'égalité sociale. Peu importe que vous soyez lord ou chauffeur de camion, Sa Majesté désire entendre ce que vous avez à dire.

Un murmure d'excitation parcourait la foule tandis que les deux reines avançaient. Un grand nombre d'invités impatients attendaient leur tour d'avoir l'oreille de la souveraine. Personne cependant n'était impatient au point d'engager la conversation avec la duchesse de Grafton, qui suivait à quelques pas derrière la reine. Autrefois, la duchesse aurait eu pour tâche de se charger des cadeaux et des fleurs offerts par les invités. Mais la reine avait jugé cette coutume trop épuisante pour tout le monde, à commencer pour elle et avait mis un terme à la remise de cadeaux.

Les invités devisèrent joyeusement jusqu'en milieu d'après-midi tandis que l'orchestre jouait avec entrain. Cyril Dickman, l'homme qui avait été au centre de l'attention pendant le banquet télévisé en l'honneur de Reagan, se tenait, indécis, devant le buffet : devait-il prendre la crème bavaroise ou les abricots à l'impératrice ? Choix difficile. Il trancha en se servant une généreuse portion de chaque. Sur trois douzaines de tables à tréteaux étincelaient les délices de l'après-midi : gâteaux au chocolat, *scones*, tartes, meringues, profiteroles, et bien d'autres tentations.

La seule différence entre ces garden-parties et les nombreuses autres réceptions que la reine donne chaque année, c'est l'absence d'alcool. On n'y offre qu'un large choix des meilleurs thés et boissons non alcoolisées, et cette règle s'applique aussi aux garden-parties de Londres. On peut donc supposer que le seul endroit où l'alcool fût présent, c'était dans la poche de la jaquette de Cyril Dickman.

Tandis que Leurs deux Majestés continuaient à avancer, la reine remarquait nombre de visages connus. Lord Home s'entretenait avec le comte de Strathmore au sujet de sa propriété voisine; le marquis de Zetland parlait avec ardeur à Sir Hector Monroe, ancien ministre des Sports du gouvernement britannique; Sir Peter Ashmore, encore sous le coup des problèmes que la visite avait causés, plaisantait avec le duc de Sutherland. Sa Majesté leur sourit, poursuivit sa progression.

Chacun de ceux qui désirent être présentés personnellement à la reine doit remplir plusieurs semaines auparavant une carte qui est ensuite remise au chambellan de la Maison Royale, à l'époque Lord Maclean. Toutefois, la plupart des gens invités sont trop timides pour formuler une telle requête, et la queue des personnes qui seront présentées à la souveraine n'est jamais très longue. Pour certains, se retrouver face à la reine est une perspective intimidante et souvent tout à fait bouleversante.

Élisabeth II et les membres de sa famille doivent généralement entamer la conversation, et ils ont certaines questions types pour le faire. Sa Majesté demandera par exemple à un couple : « Vous êtes venus de loin pour me voir ? », ou « Avez-vous attendu longtemps ? » Ce sont de bonnes « ouvertures » puisqu'elles lancent immédiatement la conversation sur un sujet où ces gens se sentent en terrain connu. La plupart du temps, Sa Majesté écoute et parle peu.

Certains posent des questions d'une incroyable stupidité, comme cette dame qui s'écria d'une voix aiguë en voyant approcher la reine : « Oh ! où avez-vous déniché ces amours de chaussures ? » Ou bien : « Oooh ! vous êtes tellement chou, comme reine ! » Ou encore ce commentaire d'un invité mordant dans une saucisse en croûte : « C'est excellent, Votre Altesse, absolument excellent. » La reine ne corrige pas l'erreur. Si ses invités le préfèrent, elle sera « Son Altesse » Au lieu de « Sa Majesté » pendant l'après-midi. Confrontée à de telles remarques, la souveraine sourit poliment et continue à avancer – vite.

La garden-party de cette année-là se déroulait sans encombre tandis que Sa Majesté continuait à saluer les invités. Au soulagement visible de la duchesse de Grafton, le groupe royal se trouvait maintenant près de l'extrémité de la tente. Dans quelques instants, les deux reines prendraient enfin une tasse de thé. C'est généralement tout ce qu'elles désirent. Même quelqu'un qui a autant d'expérience que la reine de ces mondanités n'aime pas qu'on la regarde pendant qu'elle mange un *scone.* Qui aimerait cela ? Aussi se contente-t-elle de thé si tant est qu'elle prenne quoi que ce soit.

Soudain, à la droite de Sa Majesté, on entendit un craquement, comme si l'un des sombres lords écossais s'était goinfré à en faire éclater son pantalon. Puis toutes les têtes se tournèrent vers la reine au moment où l'une des tables à tréteaux surchargée de victuailles, céda et s'écroula dans un grand fracas.

Le silence s'abattit sur la foule.

Plats, verres et couverts jonchaient le sol ; les plateaux de nourriture qu'on venait de remplir s'étaient répandus dans l'herbe et sur les invités se tenant devant la table. Sa Majesté chercha ses laquais du regard pour qu'ils leur viennent en aide, aperçut Parker qui la lorgnait de derrière un pilier.

– Dites à ce satané Parker de déguerpir ! ordonna-t-elle à un serviteur occupé à essuyer le chocolat tombé sur la chaussure royale.

Pourtant, comme je le fis remarquer à Sir Peter après que tous les invités furent partis, si l'une des créations du chef devait finir sur Sa Majesté, autant que ce fût la *mousse à la reine* !

Palais de Buckingham

8 juillet - 15 août

1

Nous étions rentrés à Buckingham depuis une semaine, extrêmement occupés par le prochain mariage du prince Charles et de Lady Diana Spencer. Les préparatifs pour cette journée avaient commencé près d'un an plus tôt. C'était une énorme entreprise et je pense sincèrement qu'elle n'aurait pu être menée à bien sans l'inestimable travail d'organisation et de direction du vice-amiral Jannion, appelé spécialement en renfort à la demande de la reine.

Plusieurs jours avant les noces, de nombreuses festivités se déroulèrent au palais. La veille, il y eut un grand feu d'artifice à Hyde Park ainsi qu'une fête dans toute la capitale. Bien que j'eusse un appartement à Londres, je passais souvent plusieurs jours au palais pour des occasions spéciales, et le mariage royal en était une à n'en pas douter. Certaines des personnes invitées à la cérémonie par Sa Majesté et le duc étaient jugées si importantes qu'elles logeaient au palais même. Cela demandait naturellement un travail accru de supervision générale.

Le roi Olaf de Norvège faisait partie de ces hôtes de marque. Peu après le dîner, il quitta le palais pour aller voir l'impressionnant feu d'artifice. N'étant pas en excellente santé, le monarque ne resta pas longtemps parti et revint plus tôt que prévu avec son valet de pied et ses gardes.

Avant d'aller se coucher, le roi demanda à son valet, Keith Magloire, de lui apporter simplement un sandwich au jambon-salade et un verre de bière. En d'autres circonstances, cela n'aurait pas posé de problème mais lorsque Magloire voulut transmettre la requête aux cuisines, il ne reçut pas de réponse. Le chef était introuvable.

J'étais seul dans mon bureau occupé par quelques détails mineurs concernant les festivités du lendemain quand mon téléphone sonna. Qui cela peut-il bien être à cette heure ? pensai-je, regardant ma montre pour avoir confirmation de l'heure tardive. Neuf heures et demie.

Le jeune valet me dit que le roi de Norvège l'avait déjà appelé pour lui demander la raison du retard. Que devait-il faire ?

Je constituai une petite équipe de recherche pour retrouver le chef et l'expédiai aux quatre coins du palais. « Le roi doit avoir son sandwich ! » déclarai-je. Moins d'une demi-heure plus tard, nous avions déniché le chef royal dans une petite pièce située derrière son bureau, vautré sur un fauteuil, profondément endormi. Ses ronflements résonnaient dans l'espace exigu comme l'orgue de Saint-Paul aux vêpres. Coincée sous son bras, une bouteille de scotch presque vide achevait de se répandre sur son pantalon déjà souillé.

Toutes les tentatives pour le tirer de sa torpeur échouèrent et je dus avouer au valet de pied du roi que le chef avait selon moi passé le stade des préparations, même mineures. Nous retournâmes aux cuisines et je pris conscience que si le roi Olaf devait manger quoi que ce soit ce soir-là, je devrais le lui préparer moi-même. Ce que je fis.

2

Après le feu d'artifice, il y eut une grande réception à laquelle les personnalités les plus éminentes du pays et de l'étranger furent conviées. Sir Harold Wilson, ancien Premier ministre de Grande-Bretagne, descendit de sa voiture qui venait de s'arrêter devant la grande entrée du palais. Au serviteur qui l'accueillit, il déclara : « Nous voici à B. P. Cela veut dire British Petroleum, vous savez, jeune homme ! »

A l'intérieur, Sa Majesté, vêtue d'une somptueuse robe du soir bordeaux échangeait des propos aimables avec les invités tandis que son mari, le duc, vérifiait çà et là s'il y avait de la poussière sur une table ou une cheminée. Traquer la poussière était une manie qui lui avait valu au palais le surnom de Pompous Pip *. Pas très flatteur, mais à côté de celui de la reine, « Squeaky Liz », c'était peut-être tolérable.

Le prince Charles avait personnellement choisi les musiciens qui joueraient pour les invités; Kenny Ball et ses Jazzmen, Joe Loss et son orchestre, ainsi que l'un des groupes rock favoris du prince, Hot Chocolate. Avant de se produire, les dix membres du groupe commandèrent – et burent – dans leur suite deux bouteilles de gin, deux bouteilles de scotch, deux bouteilles de vodka et deux bouteilles de rhum.

Sir Harold Wilson, que la reine aimait beaucoup, et qui avait beaucoup goûté aux rafraîchissements offerts par Sa Majesté, fit tomber du piano le verre du duc de Northumberland qui se brisa sur le sol du Salon Vert avec un grand bruit. Sir Harold devint rouge brique, jeta un rapide coup d'œil autour de lui pour voir si quelqu'un avait remarqué sa maladresse. Au grand dam de l'ancien

* Pip le pompeux. Pip et Squeak sont les personnages d'une vieille bande dessinée pour enfants du *Daily Mirror (N.d.T.)*

Premier ministre travailliste, l'ancien Premier ministre conservateur, Edward Heath, regardait dans sa direction et son rire tonitruant décupla la gêne de Sir Harold. Toutefois, le fait que l'un fût devenu « Lord Wilson de Rievaulx » tandis que l'autre restait simplement « Mr. Edward Heath » laisse deviner celui des deux que Sa Majesté admirait le plus.

La princesse Margaret, venue seule, sirotait un liquide blanc avec glaçons en bavardant d'un air détaché avec Lady Ashmore, la femme de Sir Peter. Lady Ashmore portait cette fois encore une toilette criarde, et l'on supposait généralement que c'était la raison pour laquelle on ne voyait pas très souvent son mari en sa compagnie. Même l'ambassadeur de France était plus estimé dans l'entourage royal, ce qui n'est pas peu dire.

Sir John Miller riait au milieu d'un groupe d'amis et parvenait à la chute d'une histoire avec des gloussements incontrôlables quand le chef royal lui lança d'une table voisine :

– On picole un bon coup, Sir John ?

Les deux dames qui accompagnaient le chevalier pâlirent, interloquées. Visiblement, elles ne connaissaient pas le cuisinier et n'appréciaient pas son humour.

Sorti de ses cuisines pour respirer un peu, le chef se servit un punch devant les invités, l'avala d'un trait et me cria :

– Hééé ! Malcolmmm ! Qu'est-ce que vous pensez de ma nouvelle tenue ?

– Formidable, Peter, formidable, m'empressai-je de répondre.

Je songeai aux fournisseurs royaux récemment venus au palais pour le nouvel uniforme du chef. Il s'était malheureusement avéré que depuis la dernière fois qu'on avait pris ses mensurations, la taille du cuisinier avait encore pris de l'ampleur et atteint une dimension pour laquelle ces messieurs n'avaient rien de disponible en magasin. Soucieux de garder leur titre de fournisseurs de

Sa Majesté, ils avaient dû confectionner un habit de cuisinier spécialement pour lui.

La reine et le duc se retirèrent vers minuit, comme à leur habitude, mais la réception se poursuivit joyeusement jusqu'aux petites heures de la matinée.

3

Le jour des noces, vers onze heures du matin, Mr. Humphrey entra tout excité dans notre bureau et me pria de le suivre immédiatement. Il avait quelque chose d'important à me montrer. Je m'exécutai de mauvaise grâce, de plus en plus curieux cependant à mesure que nous approchions des appartements de la famille royale. Après avoir inspecté le couloir, mon collègue ouvrit la porte de la suite de la princesse Anne, me fit passer devant lui et la referma doucement derrière nous.

– Bon, qu'est-ce que vous voulez me montrer, John ?

Il tendit un doigt boudiné vers le chariot qui se trouvait au centre de la salle de séjour.

– Ça, dit-il.

– Ça, quoi ? demandai-je, ne comprenant toujours pas.

– Le petit déjeuner au champagne, idiot.

– Vous voulez dire ce plateau qu'on a spécialement apporté pour la princesse Anne et le capitaine Phillips ?

– Hé, hé, hé, ricana-t-il. Pour qui c'était, je m'en tape. Maintenant, c'est pour moi !

Rayonnant de plaisir, il choisit une pêche mûre, remplit à ras bord de champagne une flûte en cristal.

– John ! m'exclamai-je. Ces fruits frais et ces croissants sont pour la princesse Anne. Je ne pense pas qu'elle serait ravie de vous voir faire.

– Oh ! qu'elle aille se faire voir. Elle n'y a même pas touché, marmonna Humphrey la bouche pleine. Allez, Malcolm, servez-vous une flûte de champagne.

– Non, merci. Je m'en vais et je vous conseille de faire de même avant qu'on ne vous surprenne.

Je me dirigeai vers la porte tandis que mon collègue finissait son champagne. Il posa la flûte vide et le noyau de pêche sur le poste de télévision de la princesse. Des traces dignes du personnage, pensai-je, et qui ne manqueront pas d'intriguer la princesse Anne à son retour.

Je regagnai mon bureau, laissant Humphrey se demander s'il allait prendre une autre pêche. A peine étais-je assis dans mon fauteuil et avais-je décroché le téléphone pour appeler Lord Maclean que Miss Victoria Martin, ancienne responsable des femmes de chambre, entra en trombe. Nous étions tellement débordés de travail avec le mariage que nous avions une fois de plus fait appel à elle pour aider la dame qui lui avait succédé à ce poste, Miss de Trey White.

– Mr. Barker ! Je dois vous aviser d'un acte honteux dont je viens d'être témoin, déclara-t-elle.

– De quoi s'agit-il, Miss Martin ?

– D'un regrettable incident concernant l'un de vos valets.

– Que s'est-il passé ?

– Eh bien... j'ai frappé à la porte d'une de mes femmes de chambre pour discuter avec elle d'une affaire assez importante, et comme j'entendais des bruits étouffés, je suis entrée.

– Oui, oui, fis-je, m'efforçant de montrer un vif intérêt.

– Devant moi, un laquais complètement nu étendu sur le lit se livrait à un acte... un acte...

– Un acte de quoi, Miss Martin ?

– De fornication, Mr. Barker ! acheva-t-elle d'une voix suraiguë, et je voudrais savoir ce que vous allez faire.

– Écoutez, j'ai l'impression que c'est trop tard. Que puis-je faire ?

– Il faut prendre des mesures pour empêcher à l'avenir de tels actes dégradants, Mr. Barker. Je ne peux laisser vos jeunes gens abuser de mes vertueuses jeunes filles sans défense. Ce n'est pas convenable!

Elle ressortit du bureau, au bord des larmes. Je ne pris pas la peine de lui dire que le genre d'activités auxquelles elle venait d'assister me préoccupait peu. Les laquais *hétéro* étaient considérés comme un don du ciel. J'avais suffisamment de mal à empêcher ces jeunes gens de forniquer *ensemble*.

4

Du balcon de Buckingham Palace, la famille royale saluait la foule qui l'acclamait depuis le Mall. C'était la dernière occasion pour le public de voir les jeunes époux avant leur départ à bord du yacht royal *Britannia* pour leur lune de miel. En regardant le prince et la princesse de Galles agiter la main devant les dizaines de milliers de spectateurs excités massés devant le palais, je ne pus m'empêcher d'éprouver, comme tous mes collègues, un sentiment incomparablement satisfaisant de réussite, mêlé de joie et de fierté. Nous n'avions connu qu'un moment pénible de toute la journée, quand Sa Majesté avait remarqué une erreur dans l'itinéraire du yacht: Parker avait orthographié *Britannia* avec deux t et un seul n. « Il n'est même pas capable d'écrire cela convenablement! » avait-elle dit en secouant la tête de consternation.

Le lendemain matin, pour commencer la journée, je reçus un coup de téléphone de Sir Peter au sujet d'un laquais de Sa Majesté. Je devrais plutôt dire un ex-laquais de la reine, passé au service du duc et de la duchesse de Gloucester. Rentrant du restaurant et du théâtre, le duc et la duchesse avaient trouvé leur salon personnel plongé dans l'obscurité totale, mis à part la lueur tremblotante du poste de télévision. En allumant la lumière, ils avaient découvert le maître d'hôtel et le sommelier dormant nus dans les bras l'un de l'autre, sur le canapé, devant les images en technicolor d'une cassette pornographique pour homosexuels.

A défaut d'autre chose, cela prouve qu'on ne trouve plus de personnel de confiance, même si votre maître d'hôtel a travaillé auparavant pour le palais de Buckingham.

Humphrey entra dans le bureau au moment même où un jeune valet en sortait précipitamment, le bousculant au passage.

– Hé ! fais attention, toi ! lui lança mon collègue d'un ton menaçant. Qu'est-ce qu'il a, celui-là, Malcolm ?

Il brancha sa bouilloire électrique pour se faire du café, se mit en sous-vêtements et s'installa dans son fauteuil. Une odeur alarmante se répandit dans la pièce.

– Sir Peter l'a congédié, j'en ai peur. Il ne faisait pas son travail, c'était le centième avertissement qu'il recevait.

– Bien fait, commenta Humphrey en tendant la main vers une barre de Mars. Je n'avais pas confiance en lui, de toute façon.

Le téléphone retentit quelques instants plus tard. C'était à nouveau Sir Peter.

– Malcolm ?

– Oui, Sir Peter ?

– Je viens de parler à Sa Majesté, il y a eu un problème...

Un problème, en effet. Après avoir quitté mon bureau, le jeune valet s'était rendu droit à la suite où on l'avait affecté au service des visiteurs royaux qui l'occupaient. Il avait fait irruption dans la pièce où la reine d'Arabie Saoudite était en train de s'habiller, avait tourné le dos à la souveraine interdite, baissé son pantalon et s'était écrié avec un accent cockney prononcé :

– Et mon dargeot, il te plaît, Majesté ?

Non, le dargeot ne plaisait pas à la reine saoudienne, qui avait aussitôt téléphoné à la reine d'Angleterre. Sa Majesté fut mortifiée mais comme le domestique avait déjà été renvoyé, il n'y avait plus rien à faire si ce n'est peut-être présenter des excuses sincères. Si seulement l'incident avait eu lieu en Arabie Saoudite, nous aurions sans doute pu faire fouetter le fautif ou l'amputer des parties offensantes, à tout le moins.

5

Mr. Humphrey partit en vacances à la fin de la semaine, et bien que le rythme se fût considérablement ralenti maintenant que l'excitation du mariage était retombée, j'avais encore amplement de quoi m'occuper. M'occuper de manière tout à fait inattendue...

Une reine américaine du porno, comme on l'appelait dans les journaux, était depuis une semaine l'invitée du prince Andrew au palais. La reine – la vraie – n'en était pas du tout ravie. Ayant commis l'erreur de laisser faire le prince, elle acceptait courageusement la visiteuse avec tout l'esprit de tolérance dont elle était capable. Sa Majesté se montrait en général extrêmement accommodante, comme presque tous les membres de la famille royale, mais lorsqu'elle était fâchée ou malheureuse, cela se voyait.

La situation concernant le prince et sa petite amie avait maintenant atteint un point critique; Sa Majesté se devait d'intervenir. La presse exploitait l'affaire impitoyablement. Chaque jour paraissaient de nouveaux ragots, de nouvelles critiques et, plus grave encore du point de vue de la reine, de nouvelles photos. Je crois que ce fut un article en première page sur les rendez-vous secrets du prince aux Caraïbes qui fit déborder le vase. Élisabeth II manda le prince dans son salon, le fit asseoir et l'avisa qu'elle voulait que sa jeune amie quitte le palais le lendemain matin au plus tard.

Les enfants de la reine obéissent-ils encore quand leur mère parle? Le lendemain matin à neuf heures, une Jaguar grise immatriculée « BP 1 » s'arrêta devant l'entrée de service (tout à fait appropriée) de l'arrière du palais. La petite amie du prince y monta avec l'aide de deux laquais, d'un factotum et du secrétaire particulier de la reine, Sir Philip Moore. Sa Majesté ne prenait pas de risques.

Comme la jeune femme s'installait dans l'intérieur de cuir beige, je la saluai de l'autre bout de la banquette, tenté de puiser dans le contenu du bar en acajou. Non, il était un peu tôt, et les conséquences seraient terribles si la jeune dame échappait à mes griffes avant d'avoir été mise dans l'avion.

– La fumée vous dérange, Mr. Baker?

– Mon nom est Barker, corrigeai-je, et non, cela ne me dérange pas.

– Bon.

Après quelques instants de silence, elle reprit :

– La vieille a sûrement passé un savon à Andy, hein? Je me demande comment vous la supportez.

J'aurais pu la remettre à sa place d'une phrase mais je m'en abstins.

– Nous y parvenons, répondis-je, adressant un sourire posé à sa mine maussade lourdement maquillée.

Après m'être assuré qu'elle avait embarqué à bord d'un avion des British Airways pour Chicago, je rentrai au palais à temps pour le déjeuner.

6

Le bureau me parut curieusement calme après le déjeuner en l'absence de Mr. Humphrey. Normalement on s'attend à avoir deux fois plus de travail quand un collègue part en vacances mais, comme je l'ai dit, je faisais *déjà* aussi le travail de Mr. Humphrey et aucun fardeau supplémentaire ne pesa sur mes épaules. Le seul désagrément de l'après-midi, ce fut quand Sir John Miller téléphona à propos d'un transport de meubles.

– Oui, oui, oui... Malcolm ? Bien... oui. Vos gars pourraient-ils se charger de transporter des meubles de la remise ? Shotover Park fait plutôt vide...

Shotover, c'était sa résidence campagnarde, bien sûr. Quand il était fatigué du mobilier, il renvoyait sofas, fauteuils, etc., en échange d'autres meubles de Buckingham Palace qu'il n'avait pas encore essayés. Beaucoup d'autres membres de la Maison Royale prenaient la même liberté, et compte tenu des manoirs, châteaux et vastes maisons de campagne qu'ils possédaient, on imagine l'activité fébrile qui régnait au garde-meubles du palais.

Sir Ralph Southward m'appelait souvent lui aussi. Médecin de la reine mère, il réclamait régulièrement de la vaisselle et de l'argenterie. Quand Lady Southward donnait un dîner, que pouvait-on faire de mieux que servir les invités dans de la porcelaine portant gravées les lettres « E II R » ? J'en faisais livrer un assortiment à leur résidence de Baker Square – en haut de la célèbre Baker Street immortalisée par Conan Doyle dans ses histoires de Sherlock Holmes. Bien que médecin personnel de la reine-mère, Sir Ralph avait aussi un cabinet dans le quartier chic de Harley Street où il n'est pas rare de voir un docteur se rendre à l'hôpital en Rolls Royce ou en voiture de sport Mercedes.

Le fils de Sir Ralph, le docteur Nigel Southward, était le médecin royal ou « Apothicaire de la Reine » pour lui donner son titre ancien et officiel. Bien qu'il occupât ce poste depuis peu de temps, il avait déjà fait au palais une certaine impression.

Paul Almond, le farceur de Buckingham, avait un jour emmené sa fille Kathie voir un docteur du palais. Elle n'avait que trois ans, sa santé se détériorait depuis quelques mois. On diagnostiqua une forte grippe, on la renvoya chez elle avec divers médicaments en recommandant au père de ne pas la mettre à l'école pendant une semaine. Mais les problèmes persistèrent, l'état de l'enfant s'aggrava. Paul la reconduisit chez le médecin, qui assura à nouveau que ce genre d'affection était fréquent chez des enfants en contact avec d'autres à l'école, que la petite fille serait en parfaite santé avant longtemps.

Quelques mois plus tard, convaincu qu'il y avait quelque chose de plus grave, Paul emmena sa fille chez un spécialiste. Après une série d'analyses, le médecin déclara qu'il n'y avait aucun doute : l'enfant était leucémique. Puis il demanda pourquoi Paul ne l'avait pas fait examiner plus tôt par un médecin : sa maladie était si évidente qu'un étudiant de première année de médecine l'aurait diagnostiquée.

D'ordinaire aimable et tranquille, Paul Almond devint après cela un homme aigri et plein de rancune qui ne pardonna jamais ce qu'il considérait comme une grave lacune dans les capacités et le dévouement du médecin. Peut-être est-ce la raison pour laquelle il faisait des farces à ceux qui travaillaient pour la reine. Mon propre médecin me dit peu après le diagnostic que selon lui, ce docteur était l'un des plus incompétents qu'il eût jamais rencontrés. Paul envisagea de lui faire un procès puis changea d'avis en songeant au traumatisme supplémentaire que cela causerait à sa famille.

Paul Almond n'était à Buckingham que depuis peu de temps. Il remplaçait un collaborateur de Sir John Miller nommé Alec Carlyle qui, avant mon arrivée, avait connu une fin particulièrement macabre. Aux Écuries Royales, Alec passait pour un tantinet excentrique, voire un peu plus que bizarre. Plusieurs fois, on avait vu sa femme se ruer hors de leur appartement en criant dans la cour des écuries : « Au meurtre ! Au meurtre ! On m'assassine ! » Ce que l'on considérait naturellement avec quelque inquiétude. Ces incidents survenaient généralement entre minuit et deux heures du matin, et ceux qui y assistaient ne savaient que faire. Alec était officier de la Maison Royale, après tout.

Puis l'épouse d'Alec mit fin tout à coup à ses sorties intempestives et l'on supposa que leurs difficultés conjugales plutôt graves avaient cessé. Deux mois plus tard, les Carlyle partirent en vacances et on ne pensa plus à eux. Deux semaines après, à la date prévue pour leur retour, ils n'étaient pas rentrés. Tout le monde présuma qu'ils avaient eu un petit problème, qu'ils seraient là dans un jour ou deux. Mais, au bout de trois jours, les Carlyle n'étaient toujours pas de retour aux Écuries Royales, et on commença à s'inquiéter.

Finalement, on décida que quelqu'un devait entrer dans leur appartement et y chercher quelque indice sur la raison de leur disparition. L'officier qui y pénétra fut suffoqué par une odeur si horrible qu'il fut pris de nausées : le corps d'Alec Carlyle gisait dans le salon, grouillant d'asticots, une balle dans la tête.

Avait-il été assassiné ?

La question reçut une réponse quand la police, arrivée sur les lieux une heure plus tard, découvrit aussi le cadavre de Mrs. Carlyle dans la pièce, dissimulé sous les lattes du plancher. L'enquête révéla qu'elle s'était très probablement suicidée. Alec l'avait trouvée morte, avait caché son corps puis, torturé par son secret, avait fini par se tuer à son tour.

Les inspecteurs supposèrent qu'il s'était donné la mort la veille du jour où il était censé partir en vacances avec sa femme. Ils conclurent que Mrs. Carlyle avait dû rester sous le plancher de son appartement au moins deux mois, à en juger par l'état de décomposition du cadavre. Rien ne transpira de cette horrible histoire et jusqu'à ce jour, seules quelques personnes connaissaient le secret.

7

Le couple princier revint de sa lune de miel de deux semaines en Méditerranée. Beaucoup pensaient – de manière irréaliste à mon sens – qu'après les somptueuses noces de juillet, le prince et la princesse de Galles étaient promis à une félicité conjugale éternelle. Mais inévitablement, il y eut des problèmes.

Dans un premier temps, le prince Charles et son épouse vécurent au palais de Buckingham tandis qu'on préparait leurs deux résidences, Kensington Palace à Londres, et Highgrove House à Gloucester. Pour Lady Diana, passer de la condition de jeune fille nantie d'un emploi et partageant un appartement avec des amies, à celui de princesse évoluant dans un environnement sophistiqué et très attaché aux traditions fut loin d'être facile. Et le départ du prince Charles, seul, peu de temps après pour l'Australie, ne fit rien pour atténuer ses difficultés. Pendant l'absence de son mari, je la rencontrais souvent dans les couloirs et les appartements royaux, l'air angoissé, un baladeur aux oreilles. La réalité de son existence commençait à lui apparaître.

N'étant pas familiarisée avec le protocole, elle allait fréquemment aux cuisines se servir elle-même, sans faire appel au page et aux valets de pied affectés à sa personne. « Je veux juste une pomme ! » l'entendait-on lancer quand elle pénétrait dans le domaine du chef.

– Si vous voulez une pomme, vous avez qu'à presser votre foutue sonnette, rétorquait-il.

Le chef n'aimait pas les visiteurs inattendus. Souvent, la princesse éclatait en sanglots et s'enfuyait en courant comme une écolière humiliée.

Diana n'était pas non plus une admiratrice inconditionnelle de la cuisine du chef qu'elle trouvait trop lourde, un peu « trop française » comme elle disait.

Pignochant à table avec sa nouvelle famille, elle attendait que le repas se termine puis envoyait sa propre commande aux cuisines : cheeseburger ou toast aux haricots.

Après de nombreuses plaintes du chef et d'autres proches de la famille, la reine finit par prendre la princesse à part et lui parler de son attitude. Interdiction à l'avenir de pénétrer dans la cuisine.

Sortie de la princesse en larmes.

Après le retour du prince Charles, Diana se détendit un peu mais la guerre reprit quand son désir de continuer à enseigner à l'école maternelle fut étouffé par la reine. Ce type de problème persista dans les semaines qui suivirent.

Diana avait pris l'habitude d'aller se coucher avec une tasse de thé que le prince Charles devait, insistait-elle, lui préparer personnellement. Elle avait même acheté un petit appareil électrique qu'elle gardait près du lit, dans leur suite. Le prince, qu'on n'avait jamais vu faire du thé, ni même en boire, détestait cette corvée et s'efforçait d'expliquer à sa femme qu'elle disposait à présent d'une armée de domestiques pour s'occuper de ces tâches subalternes. Pourquoi devait-il s'en charger ? Il n'était jamais parvenu à la convaincre.

Il n'était pas rare au palais de voir le prince Charles appeler son valet de pied le soir de la porte de sa chambre : « Stephen ? Vous pouvez m'apporter de l'eau, s'il vous plaît ? La princesse ne vous croit pas capable de lui préparer un thé ! »

Un soir, le prince rentra plus tard que prévu d'un dîner au *Dorchester Hotel.* Il était près de minuit et Diana l'attendait vers dix heures et demie, l'heure à laquelle elle aimait qu'il lui serve son infusion. Elle se mit dans une colère terrible dont plusieurs laquais et moi-même ne pûmes nous empêcher d'entendre les effets. Critiquant le prince pour son « manque d'égards », réclamant d'une voix stridente « Ma tasse de thé ! ma tasse de thé ! », Diana lança l'appareil électrique sur son mari qui se tenait devant la porte, complètement ahuri par l'explosion de rage. Par bonheur, l'appareil ne toucha pas le prince mais lorsque les artisans vinrent le lendemain examiner l'entaille faite à la porte, je remarquai leur expression intriguée. Qu'est-ce qui a bien pu se passer ? se demandaient-ils.

Au bout de deux semaines, la princesse se calma et commença à avoir avec la reine des rapports que je qualifierai de « cordiaux ». Mais entre deux personnalités aussi fortes, appartenant à des générations et à des milieux différents, les heurts étaient inévitables. Diana décida un jour que certaines salles d'apparat comme le Salon Vert avaient besoin d'être « modernisées », mises « au goût du jour », comme elle le dit à la reine. Sa Majesté fut indignée qu'une nouvelle venue à sa Cour pût être aussi effrontée. Elle remit la princesse à sa place. « Comment osez-vous ? C'est mon palais et il me plaît tel qu'il est, merci. »

Nouvelle sortie de la princesse en larmes.

Diana ne cessait de fondre en sanglots et en guise de plaisanterie, il devint courant à Buckingham d'enfouir son visage dans ses mains et de s'enfuir « à la Diana ». Elle ne tarda toutefois pas à prendre conscience qu'elle n'avait aucun pouvoir chez la reine, ce qui causa chez elle un vif ressentiment.

Quand le prince et la princesse de Galles s'installèrent enfin dans leur nouvelle résidence, Highgrove, Diana était encore très amère. Lorsque Sa Majesté leur fit livrer quelques-uns des plus beaux meubles du palais, cadeau spécial pour les aider à décorer leur vaste foyer, la princesse les renvoya à la reine avec une note : « Les meubles que vous avez eu l'aimable attention de nous envoyer ne correspondent pas à nos goûts. »

Une fois à Highgrove, Diana entreprit de faire en sorte que son mari consacre moins d'attention à certains de ses domestiques et davantage à elle-même. Le prince avait noué des relations étroites avec deux de ses gardes du corps et avec son valet de chambre. C'était en définitive les amis les plus proches qu'il avait eus pendant une bonne partie de sa vie. Mais peu après le mariage, valet, gardes du corps, secrétaire particulier et chauffeur furent soit affectés à d'autres tâches soit renvoyés. Le valet de chambre, Stephen Barry, se faisait une si haute idée de lui-même après huit années au service du prince Charles que personne au palais ne voulait de lui. Le moment idéal pour partir pour l'Amérique, pensa tout le monde. Le prince – et même Diana – le retrouvèrent devant une boutique à la mode de Londres afin de lui souhaiter bonne chance. Ils ne se doutaient pas qu'un sinistre et lamentable éditeur américain avait attiré l'ancien valet aux États-Unis en lui proposant d'écrire un livre. Tout à fait scandaleux, si vous voulez mon avis.

8

Une crise d'une autre nature couvait dans l'enceinte de Buckingham Palace. Rien à voir avec la famille royale, cependant. Que faire, se demandaient Sir Peter Ashmore et Sir Edward Adeane, de l'énorme quantité de bouteilles vides amassées au palais ? Il y en avait partout. Dans le couloir du maître de la Maison Royale, devant les bureaux des officiers, entassées dans des sacs en plastique dans les corridors et les chambres des domestiques, dans des caisses empilées aux cuisines.

Le service Nettoyage avait prévenu que la situation avait atteint un point critique et qu'il ne pouvait plus la contrôler. Chaque jour des chariots emportaient les bouteilles vides de gin, vodka, whisky, vermouth, cognac, bière, cidre et vin, déposées la veille devant les chambres et les bureaux. Le lendemain, d'autres prenaient leur place. C'était le chaos. La consommation de la Maison Royale était telle que le prince de Galles mit en place un système avec la voirie de Londres. Un grand conteneur métallique semblable à ceux qu'on installe pour les matches de football ou de rugby fut apporté à Buckingham, et le prince en personne l'inaugura à la demande de son secrétaire particulier, Sir Edward Adeane.

Ce fut un grand jour. Tous les conseillers, officiers et serviteurs de la Maison Royale, rassemblés derrière le palais, écoutèrent le prince Charles leur expliquer que dorénavant, chacun à Buckingham devait mettre ses bouteilles vides dans le conteneur. Elles seraient ensuite recyclées, et le bénéfice versé à l'œuvre charitable préférée du prince.

– Les bouteilles d'alcool en verre brun dans la fente brune, déclara Son Altesse, les bouteilles vertes – vin et sherry – dans la fente verte, les blanches dans la fente blanche.

La porte latérale donnant sur le parc s'ouvrit, le chef sortit avec deux grands sacs poubelle pleins de « cadavres ». Sous les regards attentifs, notamment celui du prince Charles et de Sir Edward, le cuisinier entreprit de jeter une à une sa cinquantaine de bouteilles dans les fentes appropriées, la majeure partie de l'opération se déroulant à proximité de la fente blanche.

Le prince poursuivit son allocution, interrompu de temps à autre par le bruit des bouteilles que le chef expédiait d'une main sûre et adroite vers leur destination finale. Puis il repartit, claqua la porte des cuisines derrière lui, estimant avoir clairement exprimé son point de vue.

– Mesdames et messieurs, lança le prince d'un ton railleur, voilà un homme qui n'a certes pas besoin d'explications !

Le conteneur était à coup sûr un excellent moyen de régler le problème. Toutefois le flot de bouteilles vides était tel qu'il fallut demander à la municipalité du Grand Londres de procéder au ramassage non une fois par mois comme prévu initialement mais une fois par semaine.

Chaque lundi, un camion venait emporter les bouteilles vides, et la grue dont il était équipé grinçait sous le poids titanesque qu'elle devait soulever.

9

Début août, le Dr. Southward fit toute une histoire quand je lui annonçai que ses bureaux allaient être refaits et qu'il serait logé ailleurs. Je devais de toute façon passer le voir pour une brûlure assez grave que je m'étais faite à la main. Comme il ne se trouvait pas à son cabinet – ce qui n'était pas rare – son assistante, Sister Patricia Deakin proposa de s'occuper de moi.

Après avoir longuement cherché dans les tiroirs et les armoires ce que je présumais être quelque remède miracle, elle s'approcha de moi, me demanda de tendre la main. Je détournai les yeux pour ne pas assister à un traitement qui, j'en étais sûr, ne pouvait manquer d'être douloureux, mais Sister Deakin se contenta de coller un sparadrap sur la brûlure, et ce fut tout.

Agée de cinquante-cinq ans environ, Sister Deakin était le type même de l'infirmière. De taille moyenne, elle se faisait surtout remarquer par sa voix flûtée et son élocution bredouillante. Elle apparaissait au palais invariablement vêtue d'une uniforme bleu foncé et d'une coiffe blanche, chaussée des souliers marron les moins féminins qu'il m'eût été donné de voir. Ils avaient probablement été fabriqués pour un homme. Si l'on parvenait à détourner les yeux de ses bas à échelles, on trouvait à l'autre extrémité un mince visage d'un blanc de farine aux lèvres rouges éclatantes. Autre particularité de Sister Deakin, elle se lavait peu souvent et semblait partager la passion de maints autres employés du palais pour le style « négligé » en matière de cheveux.

La plupart du temps, Sister Deakin passait le matin et l'après-midi à faire des courses en ville ou à poursuivre ses recherches sur les produits distillés londoniens dans le confort de son magnifique appartement au palais, doté en son centre d'un splendide escalier en spirale. Quelques jours auparavant, en arrivant au cabinet médical, j'avais surpris Sister Deakin dans son bureau, une bouteille de gin Gordons à ses pieds, sous la table. A présent, la main douloureuse, je me demandais si je devais faire une remarque sur le manque de traitement idoine ou chercher simplement ailleurs un soulagement médical quand le Dr. Southward fit son entrée.

– Ah ! vous voilà, Nigel, dis-je. Je voulais vous prévenir que votre bureau doit être rénové, vous serez installé ailleurs pendant quelque temps.

– AILLEURS ??? s'exclama le médecin à la mise méticuleusement soignée, tandis que Sister Deakin se postait à son côté en renfort. Je ne peux pas bouger, tout ce dont j'ai besoin se trouve ici.

– Désolé, Nigel, mais vous n'avez pas le choix. Il faut le faire à un moment ou à un autre.

– Et Sister Deakin ? Elle ira où, elle ? demanda le médecin, l'air plein d'espoir.

L'infirmière eut une expression blessée.

– Elle pourra rester où elle est. Mais je crains, Nigel, que vous deviez partager un bureau avec le chanoine Caesar jusqu'à ce que les peintures soient finies. Cela ne devrait pas prendre plus de deux semaines.

– DEUX SEMAINES ? Je ne partage mon bureau avec personne, pendant deux semaines. Je suis médecin, pas prêtre, tempêta le Dr. Southward.

Il sortit de la pièce en se dandinant, agitant mollement les poignets.

Une montagne de chair pénétra au même moment dans le bureau, se retourna vers le docteur qui s'éloignait et lui lança :

– Hé, hé, hé, à vous deux, vous ferez la paire !

Mr. Humphrey était rentré de vacances.

Château de Balmoral

16 août - 15 octobre

1

La reine et le duc d'Édimbourg arrivèrent à Balmoral le 16 août. Ils franchirent la grille de fer forgé de l'entrée principale dont les initiales « GR » et « MR » rappelaient le roi George V et la reine Mary. La Rolls Royce n° 1 passa par-dessus la Dee par le pont Brunel, pénétra dans la propriété et s'engagea sur la chaussée flanquée de magnifiques sapins argentés conduisant au château.

La Cour y passerait huit semaines et j'évoquai cette perspective avec plaisir en admirant le parc splendide. En contrebas et devant le bâtiment, les jardins encaissés flamboyaient de fleurs roses, abricot, rouges et vert jade. Le duc, à présent responsable de leur entretien, les avait embellis, agrandis au fil des ans, et le fruit, ou la fleur, de sa peine s'épanouissait maintenant.

Regardant vers le nord le long des flancs ouest et sud du château, je m'abandonnai à la contemplation des prés ondoyants aux fleurs multicolores et éprouvai un certain bien-être. Avec leur aspect battu par le vent, ils semblaient aussi naturels que les collines violettes couvertes de bruyère, créant une exquise simplicité qui allait parfaitement avec le château.

Dans le vaste parc, je passai devant des statues et monuments érigés au cours des cent cinquante dernières années à la mémoire de divers monarques. L'un d'eux rappelait naturellement la reine Victoria et le prince régent. Poursuivant mon chemin, je vis une inscription dédiée à Georges IV, et sur le terrain de cricket, à distance respectable des monuments royaux, deux mémoriaux particuliers. Le premier entretenait le souvenir de « Noble », le chien préféré de la reine Victoria, mort en 1887 après seize longues années de fidélité. « Tchou », deuxième animal royal fort regretté, avait été rapporté de Chine en 1890 par le duc et la duchesse de Connaught. Malheureusement, malgré les soins royaux, la stupide bête mourut un peu plus tard la même année. Sa maîtresse la duchesse en fut si affligée qu'elle porta le deuil de la seule façon qu'elle connaissait : fastueusement !

C'est là bien sûr un exemple de la manière dont la noblesse et la famille royale d'antan dépensaient sans compter, contraste frappant avec l'existence quasi frugale que l'actuelle souveraine doit mener aujourd'hui. Il suffit d'imaginer le tollé si la presse apprenait un jour que notre présente reine avait dépensé un millier de livres dans une pierre tombale pour l'un de ses corgis !

La Dee coule autour du château et je passai une heure agréable à me promener le long de ses rives tranquilles. Le soleil était chaud, c'était la meilleure période de l'année. En approchant de l'arrière du château, je vis un monument en granit à la mémoire du roi Georges V, « érigé avec l'humble loyauté et l'affection des employés et des habitants de Balmoral, Birkhall et Abergeldie ». Ce monarque fut aimé autant que l'est aujourd'hui Élisabeth II.

Les roseraies, du même côté du bâtiment, étaient aussi abondamment pourvues que le jardin central, et elles aussi en fleur. Une parfaite harmonie dans toutes les directions, la beauté de chaque chose à son apogée. En fait, les jardins avaient été dessinés à l'origine dans ce but et connaissaient toujours leur apothéose quand la famille royale était au château.

Depuis que le duc d'Édimbourg dirige l'agrandissement des jardins, un paisible jardin aquatique a été ajouté entre West Drive et Garden Cottage.

Un peu plus loin, j'aperçus une des nombreuses serres du parc, inondant elles aussi de riches couleurs un paysage du vert émeraude le plus profond, les vastes et épaisses pelouses.

Balmoral est plus que le lieu de vacances préféré de générations successives de la famille royale. Outre sa pure beauté, l'endroit est important à d'autres égards. La forêt de Ballochbuie, à l'ouest du château, abrite par exemple l'une des plus grandes zones de pins naturels demeurant en Écosse. C'est aussi l'habitat d'hiver du cerf, l'un des derniers paturages naturels pour cet animal. La reine, qui accorde son parrainage à la Highland Cattle Society, société de protection du bétail écossais, élève une vingtaine de vaches reproductrices et « fait » du foin pour ses poneys et les cerfs.

De retour au château, je songeai, en traversant la salle de réception, au Ghillies' Ball annuel qui y est donné au début de l'automne et qui rassemble toute la noblesse écossaise.

Quoique vaste, le château est assurément spartiate. Conforme à la vie simple que les premiers propriétaires, la reine Victoria et le prince Albert, appréciaient tant. Les ministres de l'époque se plaignaient que Balmoral fût trop simple et que la reine y passât trop de temps – à « huit cents kilomètres de la capitale ! » se lamentaient-ils. Victoria n'en avait cure. Elle s'y rendait très souvent, et vers la fin de son règne, elle y passait même tout le mois de mai et trois mois en automne, jouissant du climat septentrional. Les ministres qui venaient à Balmoral jouissaient, eux, d'un confort laissant souvent à désirer car Sa Majesté désirait un chauffage minimum. Ils étaient contents de retrouver la latitude « plus chaude » de Londres – et quiconque connaît Londres conviendra qu'il devait faire vraiment froid là-haut !

Il est facile de comprendre pourquoi Balmoral est le principal lieu de vacances de la famille royale. Sa Majesté y bénéficie d'une liberté qui n'existe nulle part ailleurs pour elle. Comme son ancêtre, l'actuelle souveraine adore se promener dans les champs. Un après-midi, Sa Majesté s'était aventurée assez loin du château quand une autre femme se promenant elle aussi s'approcha d'elle. Elle était sans doute d'un des villages voisins. Elle examina Sa Majesté en la croisant, se retourna pour la regarder à nouveau, hésita puis se dirigea lentement vers la reine, qui s'était arrêtée pour admirer la vue. Prenant doucement le bras de la souveraine, la vieille femme la dévisagea, se recula, claqua des mains et s'écria : « Vous savez, c'est fou ce que vous ressemblez à la reine ! », avant de poursuivre son chemin. Il ne lui était pas venu à l'esprit qu'elle avait peut-être rencontré la véritable reine d'Angleterre et d'Écosse.

Il est rare, bien sûr, qu'un manant se trouve à portée d'un membre de la famille royale sans faire l'objet d'un contrôle, quoique le domaine soit si vaste qu'il est impossible de le surveiller totalement. Par chance, on découvre des fenêtres du château même une partie de sa beauté. La reine Victoria écrivait dans son journal en 1855 : « Du salon et de nos chambres, au-dessus, la vue sur la vallée de la Dee et les montagnes – qu'on ne pouvait avoir de l'ancien bâtiment – est tout à fait splendide. »

Lorsque le moment approchait pour la reine Victoria et son mari de quitter les Highlands pour le sud, elle écrivait : « Chaque année, je m'attache davantage à cet endroit cher », ajoutant sans craindre de paraître immodeste, « d'autant qu'il porte à présent partout la marque d'un goût excellent. »

2

En résidence à Balmoral depuis deux jours seulement, la reine attendait l'arrivée d'autres membres de la famille. Tout le monde viendrait car Balmoral est vraiment pour eux la maison de famille. Cette année, le château accueillerait le prince Charles, la princesse Anne, le capitaine Mark Phillips, le prince Andrew et le prince Edward. Quand l'automne serait bien avancé, divers autres parents viendraient ponctuer un très agréable séjour de deux mois. Même la princesse Margaret, qu'on ne voit pas beaucoup en public, ces temps-ci, ne manque jamais de venir, s'arrangeant généralement pour faire coïncider son arrivée avec l'un des Ghillies' Balls donnés au château.

Les deux plus jeunes rejetons de Sa Majesté, les princes Edward et Andrew, apprécient Balmoral autant que leurs frères et sœurs aînés et que les générations plus âgées, en fait. Enfant, le prince Edward adorait chasser les papillons aux couleurs vives qui abondent autour du château. Lorsque trop d'entre eux échappaient à son filet, il faisait de terribles colères et rentrait au château d'humeur massacrante, passant sa rage sur les membres du personnel qui tentaient de le calmer. C'était parfois un « gosse difficile », comme me l'expliqua un des vieux pages de Sa Majesté lors d'une des nombreuses occasions où il me coinça au bar du palais.

Lorsque je pris mes fonctions, le prince Edward sortait déjà de l'âge ingrat pour s'épanouir en l'être charmant, sensible, qu'il est maintenant. Aujourd'hui, le prince chasse un peu, monte à cheval et pêche à l'occasion. Il invite généralement des amis de l'université avec qui il utilise le terrain de golf privé de la propriété. De tous les enfants d'Élisabeth II, c'est lui qui semble le plus attaché à Balmoral.

Pour le prince Andrew, c'est différent. Un vieux serviteur de Sa Majesté nommé Fred Whiting, qui remplissait les fonctions de gardien des Caves Royales, me raconta qu'un jour il dut aller trouver la reine pour lui parler d'un problème qu'il avait avec son fils. Le prince n'était alors qu'un enfant de onze ans environ mais essayait déjà d'en imposer. Frappant courageusement à la porte de la reine, le serviteur entra, s'inclina et dit :

– Je crains, Majesté, d'avoir été réduit à enfermer le jeune prince Andrew dans la cave.

Sans s'alarmer, la souveraine demanda :

– Qu'a-t-il fait cette fois, Fred ?

– Majesté, il a été très grossier avec moi. Il m'a fait marcher à la baguette, il a noué ensemble les lacets de mes chaussures. A l'instant, je l'ai surpris en train de mélanger les bouteilles de vin que j'avais choisies pour les dîners de la semaine prochaine.

– Eh bien, laissez-le à la cave jusqu'à ce qu'il se calme, dit la reine. Tout l'après-midi, au besoin.

Sa Majesté ne tolère la grossièreté ni chez un membre du Personnel ni dans sa propre famille.

Mais comme les serviteurs de la reine, le prince Andrew profitait de l'atmosphère détendue et sans cérémonie de Balmoral pour se livrer aux pires écarts de conduite. Il invitait à dîner avec sa mère d'épouvantables grues dont chacune semblait rivaliser avec la précédente pour le manque de cervelle. En revanche, les petites amies du prince présentaient cette particularité de ne jamais manquer de poitrine. Sa Majesté prit l'une d'elles en aversion au point de la faire asseoir en bout de table, loin d'elle-même et de son fils. Normalement, les invités de la progéniture royale sont placés près du haut bout de la table, en face de leur partenaire.

La princesse Anne fait généralement une apparition avec son mari mais ne reste jamais plus de quelques jours. Elle est si occupée par ses œuvres charitables qu'elle a peu de temps libre. Si la reine et le duc sont naturellement navrés qu'elle ne puisse passer plus de temps en famille, ils n'ont pas les mêmes regrets en ce qui concerne leur gendre, le capitaine Phillips. Il est pour eux une source perpétuelle d'embarras, et la raison pour laquelle leur fille a porté son dévolu sur lui n'est pas un mince mystère pour Élisabeth et son mari.

Le capitaine Phillips a toujours été mal à l'aise en compagnie des parents de sa femme. Il a l'impression de ne pas être à sa place. Fréquemment arrêté par la police pour excès de vitesse ou autres infractions au code de la route, il est en effet considéré par la famille royale comme une mine d'ennuis. Au cours d'une interview que la princesse Anne et son mari accordaient à la télévision, le journaliste demanda : « Êtes-vous intimidé par votre femme, capitaine Phillips ? » L'époux de la princesse demeura sans voix, incapable de répondre à l'homme qui attendait patiemment. Le silence se prolongea jusqu'à ce que la princesse intervînt : « Voyons, Mark, tu peux sûrement répondre à cette question. » Mais Phillips resta muet. Avec un soupir, la princesse le remplaça. « Non, mon mari n'est pas intimidé par moi » lança-t-elle, presque agressive, à la caméra.

Interrogé un jour par un reporter britannique, le capitaine Phillips déclara : « Ma femme et moi formons juste un couple moyen qui vit sur une hypothèque. » La famille royale n'aime certes pas faire étalage de ses richesses mais il y a des limites ! Si l'on considère que Sa Majesté leur a acheté Gatcombe Park pour cinq cent mille livres sterling environ, la remarque est curieuse. Croit-il l'Anglais moyen aussi naïf? Apparemment oui.

Le mari de la princesse Anne appartient à la même catégorie que Lady Maclean, l'épouse du chambellan de Sa Majesté. Ni l'un ni l'autre n'apparaissent très souvent avec leur conjoint, et pour des raisons similaires. Si la princesse et le capitaine se sont mariés fort jeunes, il est étonnant de remarquer à quel point Son Altesse est devenue mûre et responsable comparée à son mari.

Comme je l'ai dit, la princesse Margaret se montre en été à Balmoral, partageant son temps entre le château et la résidence de sa mère, à Birkhall. Elle a aussi dans la région de nombreux amis dont elle fait souvent le tour pendant son séjour. Au cours d'une de ses visites, la princesse se fit accompagner de son fils unique, Lord Linley. Passionné de vélo, Lord Linley aimait explorer les routes de montagne et les chemins de campagne des environs. Un après-midi, il partit avec des amis faire une excursion à bicyclette et fut surpris par la pluie. Se hâtant de regagner le château, il roula sur une grosse pierre, creva un pneu et voila sa roue arrière. Cela ne découragea pas Sa Seigneurie qui, trempée, songeait déjà avec impatience à l'excursion du lendemain.

Il rangea son vélo, laissa un mot péremptoire au valet du prince Edward lui demandant de réparer et de nettoyer l'engin pour le lendemain matin à neuf heures précises. Comme il était plus de minuit et que la lumière était éteinte dans la chambre du domestique, il glissa le message sous la porte et alla lui-même se coucher. Il se disait que n'ayant pas de laquais affecté à son service personnel, il devait recourir à celui de quelqu'un d'autre pour exécuter ses instructions.

Le serviteur fut furieux en découvrant la note au ton comminatoire le lendemain matin et s'en plaignit au prince Edward quand il alla le réveiller à huit heures. Ce n'était pas l'ordre en tant que tel auquel il objectait mais la façon impolie de le donner, argua-t-il, ainsi que l'idée que lui qui ne connaissait rien aux vélos pût effectuer cette réparation en peu de temps.

Le prince Edward approuva totalement son valet, lui dit de ne pas s'occuper de la note, que lui-même parlerait plus tard à son cousin. Cependant Lord Linley s'était levé et désirait savoir ce qu'on avait fait pour sa bicyclette. Il alla trouver le laquais, l'interrogea. « Sir, répondit le domestique, d'après les instructions du prince Edward, je ne suis pas en mesure de vous aider. »

La réaction fut assourdissante. Livide, le fils de la princesse Margaret traita le serviteur de tous les noms, fit de même pour le prince Edward. Il était littéralement déchaîné. Finalement, après qu'il se fut plaint à tous les membres de la famille royale qui voulurent bien l'écouter, la reine elle-même le fit venir, lui demanda de cesser de se conduire comme le sale enfant gâté que chacun savait qu'il était. Ell lui enjoignit même de présenter ses excuses au jeune laquais envers qui il avait été aussi cruel.

Un membre de la famille royale qui ne fréquente pas Balmoral si elle peut l'éviter, c'est la princesse Diana. Elle déteste tout à fait le château; elle n'y trouve rien d'attirant. Elle n'aime ni monter à cheval, ni pêcher, ni chasser, et a horreur de la vie à la campagne. En ce qui la concerne, Balmoral ne possède aucune qualité qui compense ses défauts et elle préfère rester chez elle.

La reine-mère passe beaucoup de temps à Balmoral, dans sa propre résidence de Birkhall, distante d'un kilomètre et demi. Elle se promène, pêche le saumon dans la Dee ou, dans l'intimité de sa maison, avoue franchement n'avoir aucune aversion pour un Martini-gin de temps à autre. Je la rencontrais souvent assise seule au bord de la rivière, souriante et aussi aimable qu'à l'accoutumée. Parfois, elle engageait la conversation avec moi mais le plus souvent elle préférait être seule pour jouir de la beauté du lieu.

La plupart des serviteurs de la reine-mère sont homosexuels, tant à sa résidence londonienne de Clarence House qu'à Birkhall. Elle a toujours préféré les homos aux hétéros car elle les trouve plus soignés de leur personne et parce qu'ils restent plus longtemps à son service. Les domestiques qui s'occupent d'elle disent qu'elle est extrêmement gentille avec eux, presque aussi tendre qu'une mère.

Toutefois, la reine-mère a elle aussi de temps à autre des problèmes avec son personnel comme les autres membres de la famille. Il lui est arrivé, rentrant à l'improviste, de trouver ses jeunes laquais vautrés sur le canapé de son salon, mangeant ses friandises et regardant son poste de télévision. Mais elle se contente de les réprimander, là encore de façon maternelle.

Chaque année, la famille royale assiste aux Jeux des Braemar Highlands, dont la tradition se perpétue depuis plus de cent soixante-dix ans. Ils comportent des épreuves anciennes comme le lancer de tronc de mélèze ou de haggis et la danse écossaise. Spectateurs et concurrents viennent du monde entier pour ces jeux, et le prince Andrew lui-même a participé à plusieurs épreuves, notamment le lancer de haggis. C'est le célèbre plat national écossais, qu'on mange plus facilement qu'on ne le jette. Il se compose d'un hachis – peu ragoûtant pour quiconque ne vit pas dans les Highlands – de poumons et de cœur de mouton ou de veau, mélangé à de la graisse de rognon, des oignons, des épices et de la farine d'avoine, le tout fourré dans l'estomac de l'animal et bouilli.

Le duc aime emmener la famille dehors pour un barbecue. Il s'enorgueillit de « vivre à la dure » et de faire la cuisine lui-même. Tous les autres trouvent cela assez amusant car en fait, la nourriture est préparée à l'avance dans les cuisines. Puis, quand la famille royale est prête à partir pour son « barbecue », une petite remorque qui tient tout au chaud est accrochée à une Land Rover et en route.

Il est de tradition à Balmoral d'inviter le Premier ministre à passer un week-end d'été au château. Autrefois, feu Winston Churchill faisait un charmant hôte de trois jours. Plus récemment, James Callaghan et Harold Wilson lui ont succédé.

Un été, Mr. Callaghan eut la malchance de trébucher dans l'escalier le jour de son arrivée. La reine rit de bon cœur et lui demanda : « Puis-je vous aider ? » Ces petits incidents surviennent à tous, y compris au Premier ministre de Grande-Bretagne. Il dut cependant être terriblement gêné, l'année suivante, quand il trébucha de nouveau juste au même endroit! Cette fois, ce fut le page des Appartements de Sa Majesté qui aida Mr. Callaghan à se relever.

Le Premier ministre Margaret Thatcher est un visiteur moins régulier que ses prédécesseurs. Lorsqu'elle vient à Balmoral, c'est par pure obligation envers la tradition, et mis à part au dîner, elle voit fort peu la reine. Pour être tout à fait franc, Sa Majesté ne la supporte pas. C'est un fait.

Balmoral plaît aussi beaucoup à ceux qui travaillent pour la famille royale. Ils ne manquent pas d'apprécier son calme, son atmosphère détendue. Les officiers se rendent plusieurs fois par semaine dans un restaurant proche pour dîner et boire, et il y a en outre quelques *pubs* dans la région pour combattre l'ennui quand il s'installe. Le Personnel n'étant pas autorisé à fréquenter les officiers ou les conseillers de la reine en dehors du travail, il est heureux qu'il y ait abondance de lieux de distraction pour tous.

Pendant les journées libres, les membres de la Maison Royale sont autorisés à pique-niquer dans la propriété, qui offre un terrain quasi illimité à explorer. Un des attraits de Balmoral pour le chef royal n'a toutefois rien à voir avec la nature, bien qu'on puisse le considérer comme naturel. Là-bas le cuisinier et ses aides peuvent donner libre cours à leur *pétulance* et viser ce nouveau record des Highlands qu'ils espèrent établir. Cet exploit ne pourrait être accompli à Londres ou à Windsor, et les matinées sont bien trop froides à Holyrood pour cela. Je parle bien entendu des concours de pets qui se déroulent chaque année dans les cuisines de Balmoral. Placée sous le patronage direct du chef, la compétition pour le titre fait l'objet d'une concurrence acharnée. (Balmoral est *vraiment* sans cérémonie.)

Participant aux épreuves les deux chefs pâtissiers, plusieurs sous-chefs, et le champion en titre, le chef royal lui-même. (La rumeur n'est pas confirmée mais il paraît que la couronne ne lui aurait jamais échappé.) Le règlement est simple, c'est le suivant : le pet le plus long et le plus fort gagne. Les épreuves ont généralement lieu le matin, après le petit déjeuner du Personnel qui se compose souvent – cela tombe bien – de toasts aux haricots.

Si je me plaisais infiniment à Balmoral, j'étais toujours content de rentrer à Londres à la fin de l'été. Bien que le rythme y fût moins fébrile que dans la capitale, les responsabilités y étaient accrues. Sir Peter Ashmore ne passait que cinq ou six jours sur soixante avec la famille royale, ce qui signifiait que toute la charge du château m'incombait. Je devais rendre des comptes directement à la reine, et aucun séjour n'était tout à fait serein ou dépourvu d'incidents.

Mon bureau était en outre beaucoup moins confortable de celui que je partageais à Buckingham et ressemblait à une chambre de chauffe comparé à celui du château de Windsor. C'était une pièce extrêmement simple, comme tout le bâtiment. Mais le bureau de Sir Peter et les appartements royaux étaient d'une grande austérité. Balmoral n'a rien de la splendeur et de la richesse des autres résidences de la reine. Charles Grenville écrivait en 1848, quand la famille royale habitait encore l'ancien château : « Ils vivent là-bas sans aucun apparat... non seulement comme de simples nobles, mais comme des gens de toute petite noblesse – petite demeure, petites salles... Ils vivent dans une extrême simplicité. » Peu de choses ont changé depuis.

Mon bureau à Balmoral avait cependant une particularité qui n'avait rien à voir avec sa décoration. Il était situé juste en face de celui du chef royal, et pendant toute la matinée, parfois même l'après-midi, non seulement j'entendais les « péteurs royaux » lorsque, quittant les cuisines, ils passaient dans le bureau du chef pour la finale, mais j'avais même parfois le privilège de savourer l'arôme unique du chef.

– Essayez de faire mieux que ça! beuglait-il après un vent d'une longueur inusitée et particulièrment odorant, même pour lui. Deux sacs que tu peux pas! s'écriait-il avec fierté tandis qu'un jeune chef pâtissier se cramponnait à un comptoir pour relever le défi.

Sortie pour promener ses deux corgis favoris, la reine décida un jour de rendre une visite impromptue aux cuisines. Les péteurs royaux, qui venaient de terminer une série, s'affairaient pour le déjeuner du Personnel. Je discutais d'une question importante avec le chef quand Sa Majesté fit son entrée, les corgis royaux s'engouffrant derrière elle et prenant la liberté de mordiller les chevilles des serviteurs qui leur semblaient le mériter.

Après un rapide coup d'œil autour d'eux pour vérifier que tout était en ordre, les chefs la saluèrent tous d'un respectueux, « Bonjour, Majesté », et se remirent au travail. Plissant le nez, sans nul doute à cause de la mystérieuse odeur, la reine posa les yeux sur un jeune marmiton qu'elle ne connaissait pas. Âgé de dix-sept ans, il était entré aux cuisines deux mois plus tôt seulement. Sa Majesté décida de dire quelques mots à la nouvelle recrue.

– Bonjour, jeune homme, fit-elle de son ton amical.

– Salut, Votre Altesse, répondit-il, comme s'il s'adressait à un copain de bistrot. Comment ça va, aujourd'hui ?

Mécontente, Élisabeth II corrigea :

– On ne m'appelle pas Votre Altesse mais Majesté.

L'adolescent que l'étiquette semblait ne pas intéresser du tout, répondit par un :

– Ah! ouais? D'accord.

La reine, nullement découragée, et supposant sans doute que le jeune garçon était gêné, remarqua qu'il était en train de lever des filets sur des truites fraîchement pêchées.

– Qu'est-ce que c'est? lui demanda-t-elle.

– Du poisson! dit-il sans hésiter, regardant la reine dans les yeux.

Il y eut un silence embarrassant pendant lequel chacun

put sentir l'incrédulité totale de la souveraine devant une réponse aussi imbécile. Tout le monde se trouva soudain quelque chose d'urgent à faire et moi-même, doutant de ma capacité à contenir une formidable envie de rugir de rire, je disparus derrière un gros réfrigérateur et assistai à la suite dans une sécurité relative. La reine considéra un moment la situation, retrouva la parole.

– Oui, fit-elle, agacée, je vois bien que c'est du poisson. Mais quel poisson ?

– Oh ! me demandez pas. Du poisson, c'est du poisson.

Cette réponse insolente fut trop pour Sa Majesté.

– Décidément, vous m'énervez, lâcha-t-elle exaspérée.

De sa démarche royale, elle franchit la porte des cuisines, ses deux corgis courant derrière elle.

Le jeune cuisinier resta en service six semaines de plus au terme desquelles on décida, à regret, que travailler dans la Maison Royale n'était pas son métier.

3

Si les appartements royaux de Balmoral étaient spartiates, les quartiers du Personnel étaient carrément miteux. Les laquais, logés dans ce qu'il faut bien appeler une cabane, jouissaient de beaucoup moins de confort qu'au palais. Construit entièrement en bois, leur logement était glacial, surtout en septembre. Néanmoins cela ne semblait pas les affecter outre mesure. Comme je l'ai dit, ils étaient tous jeunes et appréciaient l'atmosphère relâchée du château.

Un valet ne supportait cependant pas les lieux et devint complètement fou une année. Tourmenté par les autres adolescents, il craqua et se mit à renverser les meubles. On finit par le calmer, lui donner un billet de retour en train. En revanche, la plupart des autres laquais s'accommodaient du froid, et les rigueurs des nuits d'automne ne les empêchaient pas de passer d'une chambre – et d'un lit – à l'autre jusqu'à des heures avancées.

Il y avait en particulier un page d'une quarantaine d'années ayant de fortes tendances masochistes. Il aimait se faire fouetter par ses camarades plus jeunes avec une cravache. On le voyait souvent au château les bras et le visage couverts de marques. Gros buveur, il avait fréquemment des accidents et tombait sans arrêt dans l'escalier. Un soir, il fit des avances à l'un des rares valets hétérosexuels et reçut une correction si vigoureuse qu'il eut une jambe cassée. Apparemment, il n'appréciait pas ce genre de coups.

Un matin, je me rendis de bonne heure à la salle à manger des officiers pour boire un café et le découvris une bouteille de scotch aux lèvres. Malgré ses problèmes mentaux, ce n'était pas un mauvais garçon et je ne tenais pas à me fâcher avec lui. Quand je lui demandai ce qu'il faisait, buvant ainsi de l'alcool dans une pièce dont l'accès ne lui était pas autorisé, il répondit :

– Excusez, Mr. Barker, mais j'ai pas eu mon compte ce matin. Si vous voulez que je tienne toute la journée, laissez-moi faire, s'il vous plaît.

Un autre domestique du château qui, par la suite, passa au service de la princesse Anne à Gatcombe Park, aimait porter des vêtements de femme. Le vendredi soir, il mettait une robe longue, des chaussures à hauts talons et un diadème dans les cheveux pour fréquenter les discothèques de Balmoral, aguichant les autres garçons de sa démarche féminine. C'était l'un des êtres les plus délicats que j'aie rencontrés. Bien que frôlant la quarantaine, il avait un visage enfantin et se plaignait toujours que les plateaux qu'il avait à porter au palais étaient trop lourds pour lui. Il n'était pas rare de le voir courir dans les couloirs en criant : « Un homme ! Il me faut un homme ! »

Un factotum qui devint plus tard laquais de la Maison

Royale avait, semblait-il, les mêmes besoins. Il s'appelait Patrick Kelly, et quand il servait à table pour un banquet ou un dîner, il aimait adresser œillades et gestes suggestifs aux invités, par exemple aux camarades d'école du prince Edward ou aux jeunes barons venus avec leurs parents. Ses attentions n'étaient pas réservées à la jeunesse puisqu'il chassait aussi le duc et le chevalier d'âge mûr. Un jour Sir Keith Joseph fut invité à une réception au château. Alors ministre du Commerce et de l'Industrie, il passait pour un homme *très* sérieux. Lorsqu'il remit sa carte à Kelly pour se faire annoncer, le valet susurra : « Oooh, vous êtes absolument ravissant, ce soir, Sir Keith. »

Lorsqu'il passait parmi les invités avec un plateau de verres ou de canapés, Kelly murmurait à l'oreille de parfaits inconnus, quel que soit leur rang, quelque chose comme : « Je cherche un beau garçon pour cette nuit, si vous en connaissez un, envoyez-le-moi. »

Tout en servant la famille royale à Londres, Kelly se faisait un peu d'argent de poche en se prostituant. Il opérait dans les toilettes publiques de Buckingham et était fier de tous les contacts qu'il y avait établis. Il était notoire au palais que Kelly était disponible pour n'importe qui, et je veux dire *n'importe qui.* Il avait aussi un petit ami du nom – croyez-le ou nom – de Dennis Pickup * qui travaillait aussi au palais comme factotum. Ensemble ils achetèrent un tout petit appartement à Londres et c'est pour cette raison, prétendait Kelly, qu'il avait recours à la prostitution : son salaire au palais ne suffisait pas à couvrir les versements.

Un jour Kelly m'annonça que Dennis et lui passeraient leurs vacances en Espagne, où ils avaient trouvé un appartement à louer.

– L'Espagne, c'est bien et ce n'est pas trop cher pour vous, commentai-je, songeant à leur modeste budget.

– C'est sûr, mais il faudra quand même que je travaille

* To pick up : lever, draguer. *(N.d.T.)*

plus pour gagner l'argent dont nous aurons besoin, Dennis et moi.

– Vraiment? fis-je, surpris. Je n'ai pas remarqué ton nom sur le tableau d'heures supplémentaires, ces temps-ci, Patrick.

– Je parle pas du palais, répliqua-t-il. Je veux dire qu'il faudra que je fasse plus de passes dans les gogues que d'habitude.

Il va sans dire que la vie de ce jeune individu avait quelque chose de pervers et nous en prîmes tout à fait conscience en découvrant que c'était lui qui répandait du Joyjell, lubrifiant anal, dans tout Buckingham. Pendant des semaines, le produit apparut mystérieusement sur les bureaux et les poignées de porte, les couverts et les chaises et même, pour quelque obscure raison, en haut des vases. Les couleurs en étaient variées : jaune citron, framboise, fraise, avec une préférence pour le pêche. Nous supposions qu'il avait une prédilection pour la couleur pêche parce qu'il en avait tartiné un jour le porte-parapluie de la famille royale.

Kelly était vraiment un curieux oiseau. Épileptique, il fit un jour une crise au château de Windsor devant la reine et vingt invités. On le gardait, même si on le voyait souvent se promener nu dans les couloirs du palais. Sa Majesté avait pitié de lui, et comme pour d'autres serviteurs légèrement déséquilibrés, on jugeait plus sûr de s'accommoder de leur bizarrerie que courir le risque de provoquer de graves répercussions en les renvoyant.

Il fut cependant décidé de le rétrograder au poste de factotum quelques mois plus tard, quand Sir Geoffrey DeBellaigue passa quelques jours au château. Inspecteur des Œuvres d'art, Sir Geoffrey avait été invité par la reine pour le week-end. Vers minuit, il sonna un laquais afin de se faire apporter un dernier verre avant d'aller se coucher. Ne voyant personne arriver, il ouvrit la porte de sa chambre, regarda dans le couloir. Patrick Kelly passait alors par là et Sir Geoffrey l'appela : « Hé! vous, il n'y a personne pour me servir, j'ai besoin d'un valet de pied. » Ce à quoi Kelly répondit : « Oooh, vous savez quoi, Sir Geoffrey ? Je peux pas faire l'affaire, trésor. »

Malheureusement, le chevalier ne trouva pas cela amusant et nous dûmes, à contrecœur, affecter Kelly à des fonctions où il importunerait moins les invités.

Mis à part l'amusement suscité par les singeries – si l'on peut user de ce nom – constantes du Personnel, la vie à Balmoral était extrêmement calme. Je passais deux heures par jour dans mon bureau à bavarder au téléphone. En ma qualité d'officier de la Maison Royale, j'étais autorisé à en faire un usage illimité et j'en profitais pour avoir de longues conversations avec des amis au Canada, aux Bahamas et aux États-Unis. Comme il ne restait sur place qu'un embryon de Personnel, je m'occupais un peu de tout. Je faisais les courses tous les jours pour la famille royale à l'épicerie Strachans d'Aboyne, petite ville située à un kilomètre et demi de la localité principale de Ballater. Le chef essayait de faire passer dans la liste des provisions son ravitaillement personnel en alcool. Cela devint patent le jour où il me remit une liste dans laquelle il avait inclu une bouteille de scotch Glenlivet de douze ans d'âge. Pour faire la cuisine ? demandai-je.

La ville de Ballater était plus importante pour la famille royale que la bourgade d'Aboyne, beaucoup plus petite. La maison Murdochs y cuisait le pain et les gâteaux du château, et chaque jour, un serviteur allait prendre livraison de la commande. C'est une affaire familiale bien établie qui fournissait déjà Balmoral à l'époque de la reine Victoria. Si Murdochs a aussi une autre clientèle, elle fait spécialement pour la famille royale des pains qui ne sont vendus à personne d'autre. Mais quel que soit l'article et l'identité de l'acheteur, vous êtes sûr de connaître une expérience unique si vous choisissez parmi ses produits faits selon des recettes vieilles d'un siècle. Tout ce qui sort des fours de Murdochs est exquis.

A certains moments de la journée, j'envoyais des documents importants à Londres et me mettais en communication avec le palais. Buckingham tournait au ralenti en l'absence de la Cour. C'était à peu près tout ce que j'avais à faire pendant la majeure partie de l'été. Je déjeunais ensuite régulièrement avec ma mère ou des amis, je faisais des emplettes en ville et beaucoup de marche.

Un après-midi que je me promenais dans la propriété, je tombai sur la princesse Margaret en plein travail, se livrant à une de ses occupations favorites : tailler les rosiers.

– Bonjour, Malcolm. Vous appréciez ce temps magnifique ?

– Certainement. Votre Altesse. Je vois que vous obtenez d'extraordinaires résultats avec vos roses, cette année.

Il était toujours avisé de se montrer le plus flatteur possible avec un membre de la famille royale.

La princesse se redressa, lissa ses vêtements.

– Oh ! ce n'est pas difficile, ici, reconnut-elle. Et le travail des jardiniers y est pour quelque chose, j'en suis sûre.

– Puis-je vous aider, Votre Altesse ?

– En fait, oui. Tenez, Malcolm, dit-elle en me mettant son sécateur dans la main. C'est l'heure du cocktail !

Me débarrassant au plus vite de l'instrument, je regagnai le château. Séparé des appartements royaux par la cour d'honneur, j'avais une chambre charmante d'où la vue plongeait sur la Dee. On pouvait y lire maints bons livres pendant les longs après-midi d'été.

Le soir, il m'arrivait d'aller dîner dans un des restaurants proches. Le plus prisé était *Tulloch Lodge*, ravissant manoir victorien juché sur une colline boisée dans un cadre pittoresque, donnant aussi sur la rivière. A l'intérieur, une succulente cuisine, une excellente carte de vins français et de belles antiquités s'ajoutaient à une atmosphère raffinée quoique détendue.

Tulloch Lodge appartenait à deux hôtes charmants et pleins d'attention nommés Hamish et Hector. Tous deux aimaient recevoir et ne faisaient pas mystère de leurs relations. Les employés du château étaient toujours les bienvenus, et certains traités comme de vieux amis. Quand un membre de la Maison Royale y revenait pour la deuxième ou la troisième fois, il avait droit à un gros baiser et à une accolade prolongée d'un des hôtes au moins, plus probablement des deux. Si la plupart d'entre nous se félicitaient des rapports amicaux qui s'étaient établis avec Hamish et Hector, Michael Parker, responsable de l'approvisionnement, les trouvait quelque peu choquants. Il n'appréciait pas autant que nous la manière affectueuse dont Hamish et Hector pratiquaient l'hôtellerie et s'alarma quand les deux amants l'assiégèrent au bar, le jour de sa première visite. Leur attitude amicale envers lui prit cependant fin ce même soir quand, interrogé sur la qualité de la cuisine, il répondit : « Ouiiii, excellente, mais ce n'est pas aussi bon qu'au château, je peux vous le dire. » Parker était incapable de comprendre que ce n'était pas le moyen de devenir ami avec Hamish et Hector.

4

On le sait, l'Écosse est un endroit où les membres des clans montrent leur attachement à leur lignée en portant le kilt. Des clans aussi célèbres que les Macdonald, les Stuart ou les Campbell s'enorgueillissent de porter le tartan de leurs familles respectives et s'offensent si quiconque a l'impudence d'arborer leurs couleurs.

Un après-midi que je quittais le château pour faire une promenade, la reine repéra Parker exhibant fièrement un kilt rouge, gris et noir. Étrange, pensa-t-elle. Quel lien avec l'Écosse un nommé Parker pouvait-il bien avoir ?

– Mr. Parker ? dit-elle d'un ton courtois.

– Ouiiii, Majesté ? s'écria-t-il, trop fort et trop vite.

– Je vois que vous portez le kilt de Balmoral.
– Ouiii, Majesté, c'est exact, Majesté.
– Pardonnez-moi, mais j'ignorais que vous étiez écossais ou membre de la famille royale.
– Je ne suis ni l'un ni l'autre, Majesté. J'ai pensé simplement que cela ferait couleur locale. Tous les autres en portent.

Éberluée, la souveraine répondit :
– Tous les autres en portent parce qu'ils en ont le droit. Seuls les membres de la famille royale peuvent porter le tartan de Balmoral ; seuls des Écossais membres d'un clan peuvent porter un tartan. Vous n'appartenez à aucune de ces catégories.
– Désolé, Majesté, mais je suis allé chez Forsythes il y a quelque temps, j'ai vu ce kilt et je me suis dit, c'est vraiment chic. Exactement ce que je cherche.
– Oui, Mr. Parker, mais vous n'avez rien à voir avec les couleurs que vous portez. Vous n'êtes pas membre de la famille royale !
– Non, Majesté, c'est vrai. Mais c'est agréable de faire semblant, vous ne pensez pas ?

La reine secoua la tête d'un air accablé et poursuivit son chemin.

5

Vers la fin du mois de septembre, je rentrais avec Parker d'une autre soirée prolongée à *Tulloch Lodge*. Hamish et Hector montrent une grande souplesse en ce qui concerne les heures d'ouverture de leur bar quand ils en décident ainsi. Comme nous arrivions au château, l'un des valets de pied de la reine sortit précipitamment par l'entrée principale, se rua vers nous et nous parla avec fébrilité d'une rixe épouvantable qui avait éclaté dans le bar des domestiques.

A notre arrivée sur les lieux, deux laquais s'empoignaient farouchement. Ils avaient, semblait-il, découvert qu'ils couchaient tous deux depuis un mois avec la même femme de chambre, la fille ayant assuré à chacun qu'il était « le seul ». Son secret ayant été dévoilé ce soir-là, elle assistait au combat assise sur un tabouret, encourageant les adversaires en même temps que la foule des autres serviteurs accourus pour être aux premières loges. Valets, femmes de chambre, factotums et pages hurlaient de plaisir sans tenter de séparer les deux pugilistes.

– C'est ma nana, pas la tienne, cria un des laquais.

– C'est la nana de tout le monde, rétorqua l'autre, ce qui provoqua une nouvelle avalanche de coups.

A grand peine, nous parvînmes finalement à les calmer et comme d'habitude, les blessures d'amour-propre cicatrisèrent dans la nuit et tout fut oublié.

Balmoral était pour les domestiques une sorte de colonie de vacances, avec une forte dose de drames d'amour adolescent. Comme je l'ai dit, le Personnel allait en boîte le vendredi et c'était généralement après ces sorties qu'il se montrait sous son plus mauvais jour. Un vendredi, ces jeunes gens rassemblèrent tous les draps, taies d'oreiller et serviettes du château puis les déposèrent dans une étable. Le lendemain, la responsable des femmes de chambre, Miss De Trey White ne décolérait pas : il n'y avait pas de draps propres pour les lits de la famille royale ! Consciente qu'il s'agissait fort probablement d'une simple farce, elle organisa une gigantesque fouille. (L'idée qu'un voleur pût pénétrer dans Balmoral pour voler seulement les draps de la reine lui paraissait insensée.) Quelques heures plus tard, après des recherches dans tout le château – y compris le bureau de Sir Peter – on retrouva les paniers de linge.

C'est pour cette raison qu'un grand nombre de membres de la Maison Royale ne se rendent pas plus souvent à Balmoral, conscients qu'ils sont du climat laxiste qui règne dans cette résidence royale et qui, parfois, pour être tout à fait franc, dégénère totalement.

Les farceurs allaient même jusqu'à s'emparer d'un des conseillers de la reine se promenant le long des rives paisibles de la Dee tard le soir, le déshabillaient et le jetaient dans l'eau. Aussi incroyable que ce soit, ils n'étaient pas sévèrement punis pour ce genre de conduite car Sa Majesté désirait qu'ils s'amusent, et comme elle aimait elle aussi faire une promenade avant de se coucher, elle ne pouvait ignorer ces plaisanteries. En fait, elle eut beaucoup de chance de ne pas goûter elle-même la température de sa chère Dee !

Sachant que le Personnel avait la bride sur le cou, je pris pour règle d'éviter le bord de la rivière le soir. Je n'ai jamais été terriblement attiré par l'idée de me les geler dans l'eau des rivières du nord de l'Écosse quelle que soit la saison, à plus forte raison à minuit au milieu de l'automne.

Un soir que Sa Majesté était sortie prendre l'air, elle rencontra un membre du Personnel dont la conduite ne la ravit pas. C'était un peu avant minuit ; la reine venait de sortir du château quand elle entendit un bruit étrange à proximité, sur la droite. Les yeux non encore habitués à l'obscurité, elle se glissa derrière un buisson. Le bruit se fit plus fort, une plainte s'éleva. Quand sa vue se fut accoutumée, Élisabeth II se rendit compte que le buisson voisin du sien remuait. Que se passait-il ? Elle se trouvait dans son jardin privé et il n'y avait alors aucun autre membre de la famille royale en résidence au château.

Il y eut un autre bruit – un bruit d'eau, un torrent, en fait. Regardant par-dessus une branche, Sa Majesté en découvrit la source : l'un de ses vieux serviteurs pissait sur ses rosiers. Sans confronter l'homme, la souveraine retourna à ses appartements.

Le lendemain matin, je fus informé de l'incident mais par chance, Sir Peter se trouvait là pour s'en occuper. Extrêmement irritée, la reine n'appréciait pas que son Personnel coupe par son jardin et se soulage sur ses buissons. Elle reconnut le coupable, l'identifia pour Sir Peter.

Le vieux factotum se fit sermonner et, châtiment terrible, dut promettre qu'il ne recommencerait plus.

6

Nous approchions de la mi-octobre, période de l'année à laquelle la reine donne un bal pour quelque cinq cents de ses amis écossais et aristocrates anglais en visite. Connu sous le nom de Ghillies' Ball, c'est l'un des deux bals organisés au château pendant le séjour de la souveraine. J'eus le privilège d'assister à ces réceptions éblouissantes. Les danses, dans le vieux et vaste Grand Hall, sont exclusivement écossaises, et la soirée est toujours joyeuse, exubérante, tout à fait différente de celles de Buckingham Palace. C'est la seule occasion où un « roturier » peut solliciter d'un membre de la famille royale le plaisir d'une danse.

Pour ce Ghillies' Ball, la soirée avait commencé à huit heures et la famille royale avait fait son entrée sans cérémonie. Les invités dansaient aux accents de la fanfare du Royal Highland Fusiliers et la reine, vêtue d'une ravissante robe du soir en soie claire, une tiare de diamants dans les cheveux, se mêlait à la foule et semblait beaucoup s'amuser. La reine-mère, qui venait à Balmoral depuis 1921, paraissait elle aussi détendue, radieuse, et était comme d'habitude en bleu pâle, sa couleur préférée. Elle dansait avec le prince Charles et semblait tout à fait capable de déployer autant d'énergie que lui. En fait, elle montrait beaucoup plus d'entrain que le prince.

Je venais de terminer une plaisante conversation, verre de sherry en main, avec le duc d'Argyll, et me servais de mousse de homard au buffet quand la princesse Margaret apparut. Elle venait d'arriver de Londres à bord d'un des avions personnels de la reine. Comme à son habitude, elle était en retard, s'étant couchée très tard la veille après une autre réception.

Son Altesse Royale est connue pour veiller tard, bavardant et buvant, tenant fréquemment son personnel éveillé jusqu'à quatre heures du matin. Un laquais de la princesse se plaignit à Sir Peter de ce que les serviteurs de Son Altesse ne puissent envisager d'aller se coucher avant elle. La reine donna pour instruction à Sir Peter d'autoriser tous les domestiques de la princesse à prendre la liberté de se retirer à minuit, quel que soit le souhait de Son Altesse. Mais la princesse Margaret ne voulut point en entendre parler et continua à faire veiller très tard un personnel dont elle attendait qu'il reprenne son service à six heures le lendemain matin.

Ce soir-là, la princesse avait l'air fatigué mais portait une magnifique robe longue de satin pêche. Quand elle me repéra à proximité, ses yeux prirent une lueur malicieuse et elle se dirigea vers moi d'un pas vif en criant : « Malcolm ! Malcolm ! » Elle me saisit la main, me tira littéralement sur la piste de danse et se mit à jouer des hanches comme si elle se trouvait dans une de ses discothèques préférées du West-End londonien. Le duc d'Édimbourg, qui écrasait les pieds de tout le monde, semblait très mécontent.

Il est notoire dans l'entourage royal que la princesse Margaret aime la compagnie des jeunes hommes, de préférence homosexuels. Comme j'appartiens à cette catégorie, j'exerçais naturellement un attrait sur sa personne depuis mon entrée dans la Maison Royale. Tandis que nous dansions, Son Altesse adressait des sourires rassurants à la reine, qui dansait elle-même avec le marquis de Bath. Sa Majesté me lança alors un de ses « regards mauvais », il n'y a pas d'autre terme. Traduction : « Faites quelque chose ! »

La princesse s'excusa tout à coup, se dirigea d'un pas rapide vers l'escalier du fond de la salle conduisant aux appartements royaux. J'avais senti en dansant une forte odeur de gin imprégnant l'haleine de la princesse et cela m'avait surpris car on ne servait que du vin et du sherry. Son Altesse revint mais retourna maintes fois à sa suite ce soir-là.

A onze heures et demie, elle donnait des signes évidents de ramollissement et paraissait avoir peine à se tenir droite. Je m'avançai pour lui demander si elle avait besoin d'aide.

– Oh ! merci, Malcolm, hoqueta-t-elle.

Je la pris par un bras, son page par l'autre. Ensemble, nous réussîmes à lui faire monter le long escalier menant à sa suite et l'installâmes confortablement.

– Bonne nuit, Votre Altesse, murmurai-je avant de refermer doucement la porte.

Au page qui attendait dans le couloir, j'expliquai que la princesse avait peut-être un peu trop bu.

– Vous savez bien qu'elle est toujours comme ça, me dit-il. Le vin, le sherry, c'est pas assez fort pour elle, alors elle monte vider sa bouteille de gin. Elle n'a pas arrêté dans l'avion, je peux vous le dire, Mr. Barker.

Je ne fis aucun commentaire. Ce n'était un secret pour personne, parmi les proches de la famille royale, que Son Altesse « faisait l'amour » (comme elle se plaisait à le dire) à deux bouteilles de Mr. Beefeater au moins par jour.

Lorsque je quittai les appartements royaux, le bal touchait à sa fin dans le Grand Hall. Il se faisait tard, la reine avait encore une obligation à remplir avant de pouvoir se retirer.

Pendant le bal, les membres du personnel qui ne sont pas de service organisent leur propre soirée dans un autre bâtiment de la propriété. Sa Majesté fait toujours office de jury dans le concours de déguisement des domestiques, corvée qu'elle goûte assez peu. La reine et sa suite, dont je faisais partie, délaissèrent donc le Grand Hall pour les quartiers du personnel, où la soirée battait encore son plein. Par bonheur, le tintamarre diminua à notre arrivée, et les concurrents se mirent aussitôt en rang pour la souveraine, qui feignit de prendre à la chose un vif intérêt.

Il y avait un vaste éventail de déguisements originaux – cochon, pingouin, père Noël, Jules César, Dracula, Margaret Thatcher, et même un personnage ressemblant au chef royal. Au total, une vingtaine de concurrents pleins d'espoir, dont un gorille à l'air féroce qui, pour tenir son rôle, agita frénétiquement les bras devant la reine en émettant des sons terriblement grossiers. Au début, Sa Majesté sourit mais quand le numéro se prolongea, le sourire fit place à une expression ennuyée.

Impatiente d'en finir, la reine désigna les trois premiers – qui ne comprenaient pas le gorille, soit dit en passant – remit les prix et s'empressa de partir avec sa suite. Je décidai de rester car plus tôt dans la soirée, j'avais vu un membre de la famille royale quitter furtivement le Ghillies' Ball, et cette personne n'était pas encore revenue.

Le personnel se remit à chanter à tue-tête et à battre des mains après le départ de la reine. Des danseurs entourèrent le gorille, le pressèrent d'ôter son masque. Comme je le soupçonnais, ce n'était autre que le prince Andrew! Plus tard, quand j'interrogeai le prince sur son apparition surprise au bal du Personnel, il m'expliqua que les serviteurs l'avaient invité. Préférant de beaucoup une soirée animée où l'on rit et où l'on boit à ce qu'il appelait l'ambiance ringarde d'un bal royal, il avait accepté avec joie.

Je regagnai mes propres quartiers en gardant l'incident pour moi. Les rapports entre Élisabeth II et son second fils étaient souvent tendus et je considérais qu'il valait mieux éviter si possible une querelle familiale pendant les vacances. La reine n'aurait sans doute pas trouvé l'affaire amusante, d'autant qu'elle était encore sous le coup de la décoration moderne que le prince avait choisi pour sa suite de Buckingham Palace. Violet, orange et vert, cela n'allait pas du tout avec le palais, estimait-elle.

Je dois reconnaître que je partageais son avis.

7

J'avais des sentiments mêlés en m'installant confortablement dans la limousine Daimler qui me conduirait du château de Balmoral à l'aéroport. D'un côté, mes huit semaines dans la campagne écossaise s'achevaient, et l'atmosphère guindée de Londres et du palais s'annonçaient déjà; de l'autre, je rentrais dans les meilleures conditions possibles : un des Andover personnels de la reine m'attendait à l'aéroport d'Aberdeen, et le duc d'Édimbourg, ainsi que le prince Edward seraient parmi mes compagnons de voyage.

Les soixante minutes de trajet en voiture passèrent rapidement. L'air soucieux, l'époux de la reine répétait sans doute dans sa tête le discours qu'il devait faire le lendemain à la conférence de World Wildlife. Le prince Edward, assis à côté de moi, semblait triste de quitter l'Écosse et jetait un regard mélancolique sur les collines ondoyantes tapissées de bruyère.

Dans l'avion, je m'installai en face du prince tandis que son page et son garde du corps étaient relégués à l'arrière de l'appareil. L'intérieur était très spacieux malgré les dimensions restreintes de l'Andover. Les sièges rivalisaient aisément avec ceux de la première classe d'une compagnie aérienne et de jolies tables basses en verre avaient été disposées dans la carlingue, à laquelle la décoration bleu roi ajoutait une note raffinée. Le duc ayant disparu, je présumai qu'il était passé dans la cabine pour admirer les talents du pilote.

– Aimeriez-vous boire quelque chose, Votre Altesse? proposa un steward plein d'égards quelques instants plus tard.

– Un gin-tonic, je vous prie, réclama le prince.

– Et pour vous, Mr. Barker?

– Oh! je crois que je prendrai la même chose, merci.

– Bien tassés, précisa le prince en me souriant. Vous en aurez besoin quand mon père sera aux commandes.

– Vraiment? fis-je, m'efforçant de dissimuler mon inquiétude.

J'ignorais que le duc piloterait l'avion et j'avais entendu parler de la façon désastreuse dont il maniait le manche à balai.

Nous étions montés à huit mille mètres d'altitude quand la prédiction du prince s'avéra : au moment où je savourais le saumon fumé servi en entrée, l'avion fit une embardée inattendue et terrifiante. Le prince Edward grimaça un sourire.

– Vous voyez ce que je voulais dire?

– Juste un trou d'air, Votre Altesse, murmurai-je.

Comme le prince Edward ne paraissait pas s'inquiéter outre mesure du pilotage mouvementé de son père, je résolus de ne pas m'alarmer et d'apprécier le repas. Les noisettes d'agneau étaient délicieuses, parfaitement accompagnées d'un bon bordeaux. La compagnie était elle aussi fort plaisante, le prince et moi ayant une conversation agréable.

– Ce n'est pas la même chose loin de Balmoral, soupira-t-il. Cela me navre de devoir renoncer à la pêche au saumon.

Nous cessâmes cependant bientôt de parler de la pêche et de l'Écosse lorsque nous approchâmes de l'aéroport de Heathrow. Le prince, qui évoquait les pensions que nous avions fréquentées tous deux, se raidit soudain et attacha sa ceinture.

– Préparez-vous à l'atterrissage de mon père, m'avertit-il.

Je ne tardai pas à comprendre ce qu'il entendait par là.

La plainte des turbo-propulseurs baissa de manière inquiétante tandis que nous entamions la dernière partie d'une descente saccadée. Comme le duc tentait de modifier la trajectoire de l'appareil pour le placer dans l'alignement de la piste, l'Andover trembla, se balança et se souleva, au point que je commençai à me demander sérieusement si j'en sortirais vivant. Finalement l'avion se posa, rebondit, vibra de toute sa carcasse avant de s'arrêter dans un grincement.

Bien que je me considère comme un passager d'avion aguerri, ayant souvent bravé les pistes noyées de brouillard de Halifax, Nouvelle-Écosse, ce fut à n'en pas douter l'atterrissage le plus rude que j'aie connu de ma vie.

– Détendez-vous, Malcolm, me dit le prince Edward en souriant. C'est un des meilleurs atterrissages de père !

Palais de Buckingham
16 octobre - 1er janvier

1

La Cour était de retour à Buckingham mais l'étendard royal ne flottait pas sur le palais; à peine revenue d'Écosse, la reine était partie faire le tour de l'Inde. Elle y resterait deux semaines. Je saluai le policier de faction à la grille, parcourus la distance me séparant de l'entrée principale. Bien qu'il ne fût que huit heures et demie du matin, des centaines de personnes se pressaient comme d'habitude devant le palais, espérant – contre tout espoir – entrevoir Sa Majesté ou peut-être, s'ils avaient cette incroyable chance, surprendre la princesse Diana regardant par la fenêtre d'une chambre.

On imagine la princesse Anne songeant, avec inquiétude, peut-être, à ce que les manants pensaient de sa famille à ce moment précis. La princesse rabattrait les rideaux, ouvrirait les portes-fenêtres donnant sur le Mall, noterait l'enthousiasme de la foule en clameurs rassemblée devant le palais et dirait à ses parents assis à la table du petit déjeuner :

– Tout va bien, ils nous aiment encore.

Mais la triste réalité, c'est que les gens qui font le pied de grue toute la journée devant Buckingham aperçoivent rarement les membres de la famille royale, tout simplement parce que ceux-ci ont sagement choisi de vivre de l'autre côté de l'édifice. Qui aimerait se faire lorgner à longueur de journée par des touristes inconnus? Je tournai à gauche dans le hall de marbre, descendis le couloir silencieux du maître de la Maison Royale.

Bien entendu, pas de Mr. Humphrey. Avec mon travail plus une partie du sien, j'étais contraint d'arriver au moins une demi-heure plus tôt et de partir deux heures après la fin de la journée. Je commençais toutefois à m'y faire et cela ne me dérangeait presque pas. Sir Peter était au courant, mais en acceptant qu'il n'y ait aucun changement dans l'attitude de mon collègue – ni maintenant ni jamais – il m'avait fait clairement comprendre dès le début que c'était sur moi qu'il comptait pour remplir nos obligations, celles de Mr. Humphrey et les miennes, envers la Maison Royale.

Un des récents « oublis » de Humphrey concernait la valise noire de Mrs. Anne Deal, cadre des services de presse de Buckingham, partie pour l'Inde avec la reine. Deux mois avant son départ, elle avait apporté cette valise à Mr. Humphrey en lui demandant de faire réparer la fermeture à glissière. C'était une requête simple; il suffisait de téléphoner à la maison Mayfair Trunks, qui s'occupait de tous les bagages du palais, et quelqu'un passerait prendre la valise dans l'après-midi.

– Ouais, ouais, Anne, je m'en occupe tout de suite, avait promis l'obèse.

– Je vous en prie, parce que j'en aurai besoin pour le voyage, avait dit l'élégante femme aux cheveux argent.

– Vous en faites pas, Anne.

Après son départ, Humphrey fit venir un factotum dans son bureau, lui confia la valise en disant :

– Tiens, Bill, mets ça dans une des remises du sous-sol.

L'homme repartit avec le bagage.

– Qu'est-ce que vous faites, John? Anne en a besoin pour le voyage avec la reine, intervins-je, estimant qu'il allait trop loin, cette fois.

– C'est juste une foutue valise, elle en a des tas. Je ne vais pas perdre mon temps avec une bêtise comme ça.

– Bon, j'appelle Mayfair Trunks moi-même, dis-je en décrochant.

– Restez tranquille, hein ? me menaça Humphrey. Cette valise reste là où elle est.

Je raccrochai à contre-cœur. Quand Humphrey se fâchait, je ne discutais pas.

Quelques semaines plus tard, Anne téléphona pour s'enquérir de sa valise, qu'elle supposait prête.

– Ouais, ouais, Anne, on est en train de la réparer, assura mon collègue. Vous en faites pas, vous la récupérerez largement à temps.

Bien entendu, la valise se trouvait toujours là où le factotum l'avait déposée : au sous-sol.

Quinze jours avant le départ, Anne appela une nouvelle fois, Humphrey assura à nouveau que la valise était chez le réparateur :

– Ils ont du mal à trouver une fermeture assortie. Je leur ai téléphoné plusieurs fois déjà, ils font de leur mieux. Vous l'aurez à temps, ne vous tracassez pas.

– Du moment que je l'ai *vraiment* à temps... Je pars bientôt avec la reine, vous comprenez.

– Oui, oui, je comprends, vous l'aurez, c'est promis.

Une semaine avant le départ, Anne entra dans le bureau.

– Mrs. Humphrey, où est ma valise ?

Il prit un air offensé.

– Voyons, Anne, je vous l'ai dit : chez le réparateur.

– Quel réparateur ?

– Mayfair Trunks.

– C'est curieux, Mr. Humphrey, parce que je viens d'appeler Mayfair Trunks, ils ne savent rien de ma valise et ils ne se souviennent pas de vous avoir parlé.

– Ils vous racontent des histoires, Anne. Je leur ai téléphoné presque tous les jours. Vous avez peut-être eu un nouveau...

– Mr. Humphrey, j'ai eu le responsable de toutes les réparations pour le palais. Il n'a entendu parler d'aucune valise.

– Anne, je vous assure que je m'en suis occupé. Attendez que je leur téléphone pour leur dire ma façon de penser !

– Inutile, Mr. Humphrey, c'est trop tard, maintenant.

Anne Neal se dirigea vers la porte, totalement découragée.

– Je vous tiens au courant, lui lança mon collègue.

A ma connaissance, la valise est encore dans les entrailles du palais de Buckingham.

Maintenant, vous savez ce qu'elle est devenue, Anne.

2

A onze heures moins le quart, Mr. Humphrey signala sa présence.

– 'jour, Malcolm, me dit-il d'un ton cordial.

Il se mit en maillot de corps et caleçon, s'assit à son aise dans son fauteuil de cuir rouge.

Je risquai une question :

– John, Victor Fletcher est venu me voir à propos de roulettes pour le chariot à cocktail de la reine.

– Oui, et alors? fit mon collègue d'un ton hésitant.

– Il prétend qu'il vous a demandé d'en commander en 1977.

– Bon Dieu, j'ai à m'occuper de choses plus importantes que de roulettes, fit-il sur la défensive avant de plonger le nez dans le *Daily Express*. Vous avez vu les cuisses de cette fille, Malcolm ? Je passerais bien la nuit avec elle, hé, hé.

– Je n'ai pas le temps de regarder la minette du jour, John. Le sultan d'Oman arrive dans deux semaines, vous l'avez oublié ?

– Merde pour le sultan.

– Ah ! autre chose que je voulais vous dire, John. Tims vous cherche.

– Qu'il aille se faire voir, marmonna Humphrey avec mépris en se grattant vigoureusement le postérieur.

La porte s'ouvrit, Victor Fletcher entra.

Victor avait soixante ans environ. Le crâne dégarni et le teint fleuri, il souffrait de la goutte et boitait terriblement. En qualité de gardien de l'Argenterie de la Reine, il avait sous ses ordres quatre jeunes employés dont l'âge allait de dix-sept à vingt ans. Victor les aimait jeunes – *très jeunes*, et si possible *très* timides. Il avait pour tâche d'apprendre à ses subordonnés à servir à table pour les banquets et les repas de famille. Plein de zèle, il leur offrait des leçons particulières dans sa chambre, au-dessus de l'office. Je m'émerveillai de ce dévouement quand je vis l'un des agneaux de son troupeau quitter sa chambre bien après minuit.

Comme je l'ai dit, Victor avait la soixantaine et paraissait tout à fait son âge. Chose tragique pour lui, il lui était de plus en plus difficile d'obtenir de ses subalternes les réponses désirées. Le plus souvent, il devait se contenter de regarder.

Victor se planta sur le seuil de la porte.

– Mr. Humphrey ? gronda-t-il, tentant de prendre un ton ferme malgré son zézaiement efféminé. Je viens voir si vous avez commandé les roulettes dont j'ai besoin pour mon chariot.

– *Commandé ?* Qu'est-ce que vous voulez dire, Victor.

– Vous le savez parfaitement, Mr. Humphrey. Avez-vous commandé mes roulettes ?

– Bien sûr ?

– Alors, où sont-elles ?

– Pas encore arrivées, grommela le tas de graisse en se grattant à nouveau les fesses.

– Comment est-ce possible, Mr. Humphrey ?

Comme chaque fois qu'on le poussait aux limites de

l'exaspération, Victor mettait en mouvement ses poignets infiniment souples.

– Ne me le demandez pas. Qu'est-ce que j'en sais?

– Mr. Humphrey, vous me servez la même histoire chaque fois que je viens ici.

– Écoutez, Victor, j'ai encore relancé Harrods mais on ne m'a toujours pas donné de date.

– Il me les faut maintenant! s'écria Victor avec une touche de désespoir.

– Je sais, mais je n'y peux vraiment rien.

Le visage rougeaud de Victor flamboya de rage contenue.

– Mr. Humphrey, je vous ai réclamé ces roulettes quand Mr. Callaghan a pris ses fonctions de Premier ministre et je ne les ai toujours pas. Ça n'est quand même pas si difficile de remplacer des roulettes de chariot!

– Normalement, non, mais ce sont des pièces très spéciales et je sais que Harrods fait le maximum pour moi.

– Mr. Humphrey, je veux mes roulettes! cria le gardien de l'Argenterie, agitant de nouveau ses poignets.

– Je sais, Victor, mais honnêtement, j'ai fait de mon mieux.

Le serviteur parut se calmer. Avec un soupir, il reprit :

– Mr. Humphrey, tout ce que je demande, ce sont mes roulettes. Qu'est-ce que je dois faire pour que vous le compreniez? La reine m'a encore posé la question, vous savez. Elle n'est pas aveugle, Mr. Humphrey, notre souveraine n'est pas aveugle!

– Bien sûr que non. Qu'est-ce qui vous fait dire ça? Hé, hé, hé! fit mon collègue, ravi de sa repartie.

Aucunement ébranlé, Victor riposta :

– Cela fait des années que Sa Majesté fait des remarques sur son chariot à cocktail et me pose une question tout à fait naturelle : pourquoi est-ce si long à réparer? Les roulettes vibrent tellement qu'on ne peut pas déplacer le chariot. Je ne peux pas l'approcher de la table, Mr. Humphrey, vous comprenez?

Les poignets passèrent en troisième.

– La reine rentre bientôt de son voyage en Inde, poursuivit-il et je lui ai promis que le problème serait réglé. Qu'est-ce que je dois lui dire? Sa Majesté veut ses roulettes! Je veux mes roulettes!

– Dites-lui que ce genre de choses ne se règle pas en vingt-quatre heures.

– Vingt-quatre heures? Cela fait des années!

– Vous aurez vos roulettes dès que nous serons livrés. Je fais ce que je peux et c'est tout.

Victor secoua la tête d'un air accablé.

– Mr. Humphrey, je vous en prie, commandez ces roulettes pour moi, implora-t-il avant de sortir.

L'obèse alla au placard, décrocha le costume marron fripé qu'il portait tous les jours, le posa en tas sur son bureau. D'un tiroir, il tira un assortiment de chaussettes, les huma tour à tour pour faire son choix.

– John, avez-vous commandé ces roulettes ou non? fis-je, me demandant avec appréhension si la sélection du jour pouvait être encore moins ragoûtante que celle de la veille.

– Hé, hé, bien sûr que non!

– Pourquoi? Il en a vraiment besoin.

– Écoutez, Malcolm, c'est moi qui m'en occupe, pas vous.

– Mais John, la reine désire qu'on répare son chariot. Vous ne pouvez pas la faire attendre éternellement. Laissez-moi m'en charger...

– Vous mêlez pas de ça! aboya-t-il, un index agressif pointé vers moi. Il aura pas ses roulettes, un point, c'est tout. Cet empapaouté qui mouille sa culotte...

Humphrey prit sur son bureau sa veste élimée, gratta en même temps l'entrejambe jauni de son caleçon.

– Hmmm, rumina-t-il à sa propre attention, il est temps que je change de sous-vêtements.

J'eus l'impression d'avoir déjà vécu cet instant.

3

La reine et le duc revinrent de leur voyage au-delà des mers à la mi-novembre. Paul Almond entra tout excité dans mon bureau peu après que mon heure de déjeuner eut pris fin. Mr. Humphrey, lui, avait encore droit à une demi-heure. S'asseyant au bord de ma grande table de noyer, Paul s'exclama d'un ton joyeux qu'il était tombé sur un merveilleux jouet. De derrière son dos, il fit apparaître une grande poupée en piteux état et me la tint fièrement sous les yeux.

– Qu'est-ce que vous voulez faire avec une poupée? demandai-je.

Il tira sur une ficelle; la voix de la poupée remplit la pièce de cris d'animaux d'un réalisme surprenant.

– Écoutez, Malcolm, m'ordonna-t-il.

Il décrocha le téléphone, composa le numéro de l'assistant du maître de la Maison Royale.

Quand Tims répondit, Paul approcha la poupée de l'appareil, tira à nouveau sur la ficelle.

« *Voici ce que fait le cochon... HRRR! HRRR!*

– Qui est-ce? s'exclama Tims, furieux. Comment osez-vous... ?

Paul raccrocha.

Paul fit ensuite le numéro de la duchesse de Grafton. Je savais qu'elle avait demandé à la standardiste qu'on ne la dérange pas, elle voulait se reposer un peu.

– Allô? fit-elle d'une voix ensommeillée. Je vous avais dit de ne pas...

« *Voici ce que fait le mouton... BEEE! BEEE!* »

– Mais enfin, qui est à l'appareil? fit la duchesse outragée.

Paul tira sur la ficelle.

« *Voici ce que fait la poule... COT, COT, COT!* »

– Je veux savoir qui est à l'appareil! exigea la maîtresse de la Garde-robe de la Reine. J'étais en train de faire la sieste et je ne trouve pas cela amusant du tout. Qui...

Paul mit fin à la communication.

Pour clore la séance, il appela les appartements privés du duc, et ce fut naturellement le mari de la reine qui répondit.

– Oui? Allô? dit-il, de méchante humeur comme d'habitude.

« *Voici ce que fait la vache... MEUH! MEUH! MEUH!* »

– Qui est-ce, bon sang? Je suis très occupé...

« *Voici ce que fait le chien... OUAH! OUAH! OUAH!* »

Fort incivilement, Paul Almond raccrocha. L'attrait de son nouveau jouet faiblissant, il se dit qu'il était peut-être temps de retourner aux Écuries Royales pour travailler un peu. Moins d'une minute après son départ, Tims fit irruption dans mon bureau, inspecta la pièce d'un œil soupçonneux.

– Vous êtes seul ici, Malcolm? me demanda-t-il au bout d'un moment.

– Oui, bien sûr, Mr. Tims. Pourquoi cette question?

Il scruta mon visage comme pour y chercher la confirmation d'une vérité qu'il croyait connaître.

– Tout à fait seul? insista-t-il, sourcils haussés.

– Tout à fait, je vous assure. Comme vous le voyez, Mr. Humphrey est sorti.

– Je ne m'intéresse pas à Mr. Humphrey, Malcolm. En fait, je serais surpris de le trouver ici... Vous n'avez entendu personne faire des bruits vulgaires sur la ligne intérieure?

– Des bruits vulgaires? fis-je, l'air étonné.

– Oui. Quelqu'un se sert du téléphone pour se livrer à de mauvaises plaisanteries. La duchesse de Grafton a été tirée de sa sieste... Moi-même j'ai été victime de ce farceur.

– Oh! c'est affreux. Si j'apprends quoi que ce soit, je ne manquerai pas de vous le faire savoir.

Mr. Tims sortit, à nouveau anéanti. Sur sa liste, Paul Almond était l'ennemi public n° 2 et il avait cru le prendre sur le fait. Une fois de plus, il avait manqué d'un cheveu son moment de triomphe.

Bah ! on peut toujours faire mieux la prochaine fois, n'est-ce pas ?

Une semaine plus tard, il fut décidé que Mr. Tims devait prendre un peu de repos. Il n'était pas du tout détendu, le pauvre. Mr. Humphrey, à qui échoua la responsabilité de la Maison Royale, fut aux anges, cela va sans dire. Il avait maintenant toute autorité sur l'ensemble du Personnel de la reine.

En l'absence de Mr. Tims, il reçut un jeune postulant à un emploi d'aide-serveur. En fait, le travail consistait essentiellement à se tenir au garde-à-vous près du buffet tandis que la famille royale déjeunait ou dînait. S'il remplissait cette tâche de façon satisfaisante pendant un an, il aurait une chance de passer valet de pied, avec pour souci supplémentaire d'avoir trois livres de plus à dépenser par semaine.

A onze heures du matin, un timide adolescent de dix-sept ans frappa doucement à la porte ouverte du bureau.

– Alors, Jeremy, dit Humphrey d'un ton amical après l'avoir fait asseoir, pourquoi veux-tu travailler au palais de Buckingham ?

Une question directe, pensai-je, est un bon début. Mr. Humphrey faisait peut-être des progrès, après tout. Le garçon, qui semblait nerveux, réfléchit avant de répondre :

– Ben... j'aime la reine et... et... et si j'ai le boulot, je travaillerai plus dur que n'importe qui pour qu'elle soit contente.

C'était tout ce qu'il pouvait trouver ?

– A la bonne heure ! claironna mon collègue comme si l'adolescent venait de gagner à un jeu télévisé. Le poste est à toi ! Présente-toi ici dans une semaine.

– Waoh ! Merci, Sir Humphrey !

Visiblement flatté de l'erreur du jeune garçon, Mr. Humphrey reprit :

– Allez, ouste, mon p'tit gars, et félicitations.

Le jeune homme sortit, radieux.

– John, vous ne pensez pas que vous auriez dû lui poser d'autres questions ? Vous ne savez rien de lui et vous venez de lui offrir un emploi au palais.

– Malcolm, j'en ai su plus qu'il ne fallait en regardant ce jeune visage innocent. Croyez-moi, c'est exactement le type de jeune homme dont nous avons besoin.

Je n'en étais pas convaincu.

Deux jours après son retour de vacances, Tims se rua dans notre bureau en vociférant :

– Où est-il, Malcolm ? Où est-il ? Je veux le voir immédiatement !

– Il est sorti déjeuner, répondis-je, cachant que mon collègue ne s'était pas encore montré de la matinée. Pourquoi ? Que se passe-t-il ?

– Vous avez vu le jeune garçon qu'il a embauché pendant mon absence ?

– Juste une fois, pendant l'entretien. Humphrey trouvait que c'était le candidat idéal.

– Cela ne m'étonne pas de lui. La police vient de m'appeler : ce jeune homme a un casier judiciaire.

– Oh ! non, geignis-je. Qu'a-t-il fait ?

– Il a été condamné trois fois à Liverpool pour nécrophilie ! Apparemment, il préfère même déterrer les morts avec qui il a des rapports sexuels ! Où est Humphrey ? Attendez que je mette la main sur lui !

A ce rythme, Tims aurait bientôt besoin de reprendre des vacances.

– Dites-lui de m'appeler dès qu'il rentrera ! haleta-t-il en quittant le bureau.

John était assis devant son bureau quand je revins du déjeuner.

– Ah ! vous voilà. Tims vous demande. Il vous a cherché toute la matinée.

– Qu'est-ce qu'il veut encore ?

– Il paraît que le jeune garçon que vous avez engagé il y a deux semaines s'est rendu coupable de nécrophilie à Liverpool. Qu'est-ce que vous en dites ?

– Bof, ça doit arriver à Liverpool comme ailleurs, hé, hé, hé !

– John, ce n'est pas drôle. Vous auriez dû attendre que la police se renseigne sur lui avant de lui donner le poste. On ne peut pas savoir ce qu'il aurait fait.

Mr. Humphrey feignit l'étonnement.

– Pourquoi ? Il y a pas de mort, ici. A part peut-être la duchesse de Grafton, hé, hé, hé !

– Je parle sérieusement, John. Ce garçon est un malade. Non seulement il fait l'amour avec des morts mais il les tire lui-même de leur tombe. Je vous avais prévenu de l'interroger davantage avant de lui confier ce travail.

Mr. Humphrey ouvrit le *Daily Express*, mordit dans une barre de chocolat géante.

– Bah, on gagne pas à tous les coups, soupira-t-il.

Tims et Sir Peter n'étaient cependant pas d'humeur à goûter les plaisanteries de Humphrey. Il eut droit à l'une des plus sévères réprimandes qu'il eût reçues à ce jour et bouda pendant deux jours. Puis, l'incident oublié, il reprit le train-train familier.

4

On approchait de la fin du mois de novembre et il faisait anormalement froid pour la saison. Je venais de franchir l'entrée principale de Buckingham où j'avais été témoin d'un incident qui m'avait perturbé – c'était le moins qu'on pût dire.

Un rocker punk aviné, magnifiquement vêtu de cuir

noir et de chaînes, arborant une coiffure en crête de coq, avait pénétré d'un pas nonchalant dans le Grand Hall du palais et entrepris de satisfaire ses pulsions bestiales en renversant certains des meubles de Sa Majesté. Fauteuils, tables d'acajou, lampes et fleurs tombées de vases ravissants jonchaient le tapis rouge de l'entrée.

La police fut alertée par le gardien de faction près de la porte. Comme il était occupé à déjeuner à l'arrivée du punk, il ne le remarqua qu'au troisième fauteuil renversé. Il fallut deux policiers pour traîner dehors le jeune rocker qui ruait et les injuriait. Il ne fut ni arrêté ni même interrogé mais simplement chassé du palais et lâché dans la nature.

La récente période avait été mauvaise pour les services de sécurité de Buckingham – si l'on peut parler de « sécurité ». On avait découvert que des faisceaux électroniques ne fonctionnaient pas, que des gardes censés être de service étaient absents, que des portes et des fenêtres n'avaient pas été vérifiées depuis des semaines, que la police laissait entrer quasiment toutes les personnes se déplaçant sur deux jambes. Bref, la protection de la famille royale de Grande-Bretagne était en dessous de tout.

Avant l'incident du punk, deux jeunes touristes suédoises avaient escaladé les grilles à l'arrière du palais, planté deux tentes canadiennes orange sur la pelouse, préparé un petit dîner sur un feu de camp puis s'étaient couchées. Les deux jeunes filles avaient passé toute la nuit sur la pelouse, juste derrière les appartements royaux, et n'avaient été découvertes que le lendemain matin vers dix heures et demie !

Les deux Suédoises, qui n'avaient pas vingt ans, furent conduites au poste de police pour être interrogées.

« Foilà, commença l'une d'elles dans un anglais approximatif. C'était comme ça. D'abord on voit les belles pelousses du palais dans un livre. On se dit comme c'est belle pour nos yeux. Alors on décide... à notre premier voyage à Londres, on va dans le jardin de la reine et on campe. On vient au palais, on voit que c'est facile passer les grilles. Personne nous dit rien, alors on pense que la reine s'en fiche si on campe sur son beau jardin. Elle est gentille, la reine, non? »

Les jeunes filles persuadèrent les enquêteurs qu'elles n'avaient pas de mauvaises intentions. Elles ne s'étaient même pas rendu compte qu'elles faisaient quelque chose d'interdit, prétendirent-elles. Convaincus, les policiers les raccompagnèrent à la porte du poste et les laissèrent poursuivre joyeusement leur voyage.

Mais il se produisit peu de temps après un événement plus grave qui provoqua un remaniement général dans les rangs des personnes chargées de protéger la reine.

Tout commença un soir juste après minuit quand une femme de chambre se redressa dans son lit en poussant un cri aigu. Elle appela un inspecteur du palais, lui dit qu'elle avait vu une forme devant la fenêtre de sa chambre. Un visage d'homme, elle en était sûre.

– Non, ma p'tite dame, assura l'inspecteur quand il fut dans la chambre. Vous avez pas vu d'homme, vous avez rêvé.

La femme de chambre était certaine de l'avoir vu mais la chose paraissant tellement improbable, elle accorda au policier le bénéfice du doute et alla se recoucher, au grand soulagement de l'inspecteur qui n'avait aucune envie d'entamer une enquête inutile à cette heure de la nuit.

A sept heures le lendemain matin, la porte de la chambre à coucher de la reine s'entrouvrit. Sa Majesté n'était pas encore levée, la pièce demeurait plongée dans l'obscurité. Lorsque la porte s'ouvrit, la lumière du couloir pénétra dans la chambre.

– Qui est là? demanda la souveraine tandis que la porte se refermait sans bruit derrière la silhouette inconnue. Qui est-ce, s'il vous plaît?

L'ombre approchant du lit, la reine alluma sa lampe de chevet.

– Qui êtes-vous ? demanda-t-elle à l'homme en jean et chemise fripée qu'elle voyait maintenant devant elle. Que voulez-vous ?

– Je suis venu vous parler, reine Élisabeth. C'est pour ça que je suis ici. Je veux juste parler.

L'intrus eu un sourire sinistre, continua à fixer la reine de ses yeux de dément.

Pourtant, Sa Majesté ne céda pas à la panique comme beaucoup d'autres l'auraient fait. Lorsque la porte de sa chambre s'était ouverte, elle avait appuyé sur le bouton de sécurité dissimulé près de son lit. Elle pensait qu'il ne s'agissait peut-être que d'un de ses serviteurs pris de boisson, mais il valait mieux être prudente. En l'occurrence, sa décision la mettait hors de danger – du moins le croyait-elle.

Le bouton rouge était censé alerter ses inspecteurs, et des hommes armés accourraient d'un moment à l'autre. Elle n'avait qu'à gagner du temps jusqu'à leur arrivée. L'homme continuait à la regarder fixement.

– De quoi aimeriez-vous parler ? lui demanda la reine, attendant l'irruption qui la sauverait.

– Je veux juste parler, fit l'homme sans trace d'émotion.

Sa Majesté lui donna satisfaction.

Cinq minutes s'étaient écoulées depuis qu'elle avait appuyé sur le bouton et personne n'était accouru. Le système ne marche peut-être pas, pensa-t-elle. Elle décida de continuer à attendre.

Personne ne vint.

Le seul moyen d'écarter le danger, c'était de rester calme, elle s'en rendit compte. Elle ne devait pas s'affoler ; elle devait convaincre l'inconnu qu'il n'y avait rien à craindre. Mais il lui faudrait tôt ou tard de l'aide. Impossible de dire à quel point l'homme était fou.

– Comment vous appelez-vous ? demanda la reine, d'une voix aussi maîtrisée que possible.

– Michael Fagin.

– De quoi voulez-vous me parler, Michael ?

L'homme se mit à raconter sa vie, et cela semblait être réellement l'unique objet de sa visite.

Sa Majesté réfléchit.

– Puis-je vous offrir un verre ? Une cigarette ?

– Ce serait gentil, répondit le visiteur d'un ton enfantin. Je veux bien une cigarette.

La reine vit une issue. Si elle pouvait le convaincre de la laisser appeler un domestique... Manifestement, le système d'alarme ne marchait pas. Calmement, Élisabeth II prévint l'homme qu'elle allait simplement appuyer sur un bouton pour faire venir un laquais qui apporterait des cigarettes.

– C'est tout, poursuivit-elle. Il nous donnera des cigarettes et nous continuerons à bavarder. D'accord ?

– D'accord.

La souveraine tendit lentement la main vers la table de chevet, pressa la sonnette du valet de pied. Ce matin-là, Keith Magloire était de service. En pénétrant dans la chambre, il comprit aussitôt qu'il se passait quelque chose.

Heureusement pour la reine, Magloire avait un sens des responsabilités plus grand que les inspecteurs. Même si Sa Majesté avait, pour quelque étrange raison, convié l'inconnu dans sa chambre – ce qui était peu probable – Keith savait qu'elle ne fumait pas.

Quand il revint avec les cigarettes, il persuada l'homme de quitter la chambre de la reine pour avoir une conversation avec lui. L'intrus suivit la suggestion ; Keith le fit asseoir dans l'antichambre, lui offrit une cigarette et bavarda avec lui jusqu'à l'arrivée du policier qu'il avait appelé à la rescousse. Fagin se laissa emmener sans résister.

Dans les jours qui suivirent, on découvrit qu'il avait escaladé le mur du palais, grimpé le long d'une gouttière et pénétré dans le bâtiment par une fenêtre non fermée du bureau de Sir Peter Ashmore. Après avoir arpenté pendant plus de sept heures les couloirs et les pièces, il était enfin parvenu, à l'aide d'un plan, à accéder à la chambre d'Élisabeth II.

On constata au cours de l'enquête que les faisceaux électroniques disposés çà et là dans le palais pour signaler les intrus étaient défectueux, que les fenêtres qu'un gardien devait inspecter chaque soir n'avaient pas été vérifiées. Plus grave encore, les aveux des deux inspecteurs armés chargés de monter la garde devant la porte de la chambre de la reine pendant son sommeil. Ils reconnurent qu'ils étaient profondément endormis dans l'un des salons, au bout du couloir. Le sergent qui avait entendu l'appel à l'aide de la reine quand elle avait pressé la sonnette déclara qu'il avait cru à une fausse alerte (ce fichu truc se déclenchait tout le temps) et avait continué à manger ses œufs au bacon au rez-de-chaussée du château. Tous, y compris Michael Greene, responsable du Groupe de Protection Royale, furent renvoyés.

Trois mois plus tard environ, l'officier de police personnel de Sa Majesté, le commandant Michael Trestrail, fut lui aussi limogé pour une faute beaucoup plus légère quand un adolescent révéla dans un quotidien de Londres qu'il avait une liaison homosexuelle avec lui. Bien qu'Élisabeth II eût expressement demandé au ministre de l'Intérieur de ne pas rendre publique la raison de son renvoi, celui-ci refusa, et les détails en furent divulgués. Si l'affaire était jugée bien moins grave que les négligences mentionnées ci-dessus, on considéra que le commandant Trestrail constituait un risque majeur en matière de sécurité et on le releva de ses fonctions. Cela n'avait pas de sens – mais beaucoup d'autres choses au palais non plus.

La presse londonienne fut tellement consternée par l'absence de sécurité que certains éditorialistes réclamèrent la démission de Sir Peter Ashmore. Les officiers de la Maison Royale, dont moi-même, signèrent une lettre de soutien à Sir Peter qui fut remise à la reine.

Tous les officiers sauf Mr. John Humphrey qui déclara : « Pourquoi je signerais ça, bon Dieu ? C'est un vrai connard, de toute façon. Hé ! Hé ! Hé ! »

Pendant mon passage à la Maison Royale, je me rendis compte que les services assurant la sécurité de la souveraine et du reste de la famille étaient dans une sorte d'apathie. Ils étaient composés de policiers à la retraite et de vieux veilleurs de nuit qui montraient pour la protection d'Élisabeth II autant de compétence et d'intérêt qu'un enfant de deux ans.

5

Le banquet donné en l'honneur du sultan d'Oman se déroulait sans problème. On venait de servir aux invités le plat principal, et la reine et la reine-mère, assises de chaque côté du monarque, bavardaient agréablement avec leurs voisins. La reine-mère adressa un sourire suave à l'archevêque de Canterbury, à sa droite, qui entretenait la princesse Anne d'un sujet sérieux. Vêtue d'une superbe robe du soir bleu clair, la mère de Sa Majesté se sentait à présent tout à fait bien : le Martini-gin qu'elle avait pris faisait son effet. De l'autre côté de la table, le prince prêtait une oreille distraite à Son Altesse Sayid Fahad Ben Mahmoud Al Saïd, souverain arabe dont le nom prenait plus de place sur le menu que l'entrée – en l'occurrence un « médaillon de barbue à la florentine ».

Derrière la scène, tout se passait bien ; valets et pages en livrée s'empressaient dans la salle de bal rouge, blanc et or, assurant aux hôtes de marque un service aussi irréprochable que les chandeliers de cuivre décorant la longue table en fer à cheval.

Mr. Humphrey jeta un coup d'œil dans la salle par les lourdes portes conduisant à la galerie Est. Le couloir au tapis rouge courant à gauche du Grand Hall étincelait avec son plafond blanc et or, ses colonnes jumelées de marbre de Carrare gris clair. Mon collègue observa les plats, prit mentalement note de ce qui était présentement offert à la consommation aux cuisines.

– Mr. Humphrey ? fit une voix de femme derrière lui.

L'obèse sortit de sa cachette.

– Tiens, Miss Colebrook. Vous n'allez pas en ville, ce soir ?

C'était la responsable adjointe des femmes de chambre, dont il était entiché.

– Non, Mr. Humphrey. Je sors rarement ces temps-ci.

Il se souvint qu'il avait quelque chose à lui dire.

– Justement, je voulais vous parler, Miss Colebrook. Il paraît que vous me traitez de mauvaise langue ?

L'adjointe tapota son chignon de matrone d'un air pincé.

– J'ai entendu dire que vous faites des commentaires derrière mon dos, que vous m'appelez « la bicyclette du palais », parce que tout le monde peut monter dessus. Ce n'est pas très gentil.

Les yeux de mon collègue pétillèrent de plaisir. Il se sentait en veine, ce soir. Un bon petit coup, un excellent repas aux cuisines, et il serait comblé.

– Ben, c'est vrai, non, Miss Colebrook ?

– Qu'est-ce qui est vrai, Mr. Humphrey ? demanda l'adjointe en le regardant dans les yeux.

Elle aussi aurait volontiers tiré un petit coup. Le dernier remontait à beaucoup trop loin. Avec un sourire malicieux, elle ajouta :

– D'ailleurs ça n'a pas d'importance, si c'est vrai ou non, parce que vous ne le saurez jamais. Parce que si vous voulez mon avis... (Elle commença à s'éloigner lentement), vous parlez beaucoup mais vous ne faites rien...

Elle avait presque disparu quand Humphrey, comprenant le sous-entendu, se lança derrière elle.

– Nom de Dieu, elle va voir si je ne fais que parler !

Prise par-derrière, pour ainsi dire, Miss Colebrook se laissa entraîner « de force » derrière une porte située à quelques mètres seulement de l'endroit où le banquet avait lieu.

– Mr. Humphrey!... Mr. Humphrey!... Non... Non! Qu'est-ce que vous faites?

La porte se referma, les protestations cessèrent.

Dans la grande salle, tout allait comme prévu. Dès la fin du repas, les discours commenceraient. La reine-mère se renversa contre le dossier de sa chaise, et derrière le dos du sultan, essaya d'attirer l'attention de sa fille. Du coin de l'œil, Élisabeth II remarqua le manège de sa mère. Elle interrompit poliment sa conversation avec son hôte, se pencha en arrière elle aussi le plus discrètement possible et chuchota à la reine-mère :

– Oui, qu'y a-t-il?

L'archevêque, Mgr Runcie, s'adressa à la reine-mère au moment où celle-ci allait répondre à sa fille. Quelques minutes plus tard, elle essaya à nouveau d'attirer l'attention de Sa Majesté. Voyant sa mère lui faire des signes désespérés, la reine demanda à nouveau à voix basse :

– Qu'y a-t-il?

La reine-mère murmura en articulant soigneusement :

– MON TABOURET POUR LES PIEDS!

La reine réfléchit, mais avant d'avoir pu répondre, se trouva à nouveau en conversation avec le sultan, conscient lui aussi maintenant qu'il se passait quelque chose. Il espérait que cela n'avait rien à voir avec lui. A sa droite, la reine-mère s'était remise à gesticuler en direction de sa fille, que cela commençait à agacer. Qu'est-ce que ce tabouret – si elle avait bien entendu – pouvait avoir de si important?

Quand elle le put, Sa Majesté s'appuya au dossier de sa chaise, tourna légèrement la tête vers la droite. Sa mère, suspendant sa conversation avec l'archevêque, fit de même.

– Qu'est-ce qu'il a, votre tabouret? murmura la souveraine.

Le brouhaha empêcha la reine-mère de bien l'entendre.

– Qu'est-ce que vous dites ?

Sa Majesté soupira puis répéta, aussi fort qu'elle l'osa :

– Je dis... qu'est-ce qu'il a, votre tabouret ?

Le sultan d'Oman regarda les deux femmes tour à tour. S'il y avait quelque chose, pourquoi ne lui en parlaient-elles pas ? C'était à son sujet qu'elles échangeaient des murmures, il en était sûr, maintenant.

Se sentant observées, Élisabeth II et sa mère rougirent un peu, se redressèrent aussitôt. La reine-mère sourit aimablement au sultan perplexe, qui aurait bien voulu comprendre ce qui se passait.

Lorsqu'il se leva et entama son allocution, la reine d'Angleterre, consternée, remarqua que sa mère lui faisait à nouveau des signes. Au moins maintenant, elles pouvaient parler.

– Qu'est-ce qu'il y a, mère ?

Un doigt pointé sous la table, la vieille dame se lamenta :

– C'est mon tabouret pour les pieds.

– Qu'est-ce qu'il a ?

– Je ne le trouve pas ! répondit la reine-mère, le front plissé de contrariété.

Sa Majesté savait à présent que la situation était grave. Souffrant de problèmes circulatoires, sa mère avait pris l'habitude depuis cinq ans de faire installer un tabouret de velours rouge sous la table afin de pouvoir reposer ses pieds pendant qu'on prononçait des discours souvent longs et ennuyeux. Tout le monde à Buckingham connaissait l'existence du tabouret et comprenait son importance. La reine-mère avait même pris la peine de le faire apporter de sa propre résidence.

Elle lança à sa fille un regard accusateur et se mit à bouder. La reine savait qu'elle en entendrait parler toute la journée du lendemain si elle n'intervenait pas. Il fallait retrouver le tabouret – et vite.

On fit venir le page de la reine, on lui expliqua l'urgence de la situation. La reine lui murmura à l'oreille de mettre immédiatement à la recherche du précieux tabouret toutes les personnes disponibles.

Pendant ce temps, le duc avait remarqué que son épouse n'accordait pas toute son attention au discours du sultan. Il ne savait pas ce qu'il se passait mais n'était pas content. Les bras croisés, il lança à sa femme un regard sévère. « TA-BOU-RET », chuchota la reine, ce qui ne fit que l'intriguer davantage. Bon, elle lui expliquerait plus tard, se dit-elle. A ce moment précis, elle aperçut quelqu'un qui l'observait par les portes entrouvertes. Elle ne distinguait pas très bien son visage mais... si ! c'était encore Michael Parker qui l'espionnait !

Un quart d'heure plus tard, le page revint avec de mauvaises nouvelles : on ne trouvait le tabouret nulle part. D'abord, la reine lui ordonna : « Faites partir ce satané Parker. J'en ai assez de lui ! » Puis elle l'envoya à nouveau chercher le tabouret. Le serviteur s'exécuta, bien qu'il ne vît pas l'utilité de la chose.

Il y a tellement d'endroits où l'on peut mettre un tabouret, soupirait intérieurement le page en songeant aux ennuis qui attendaient tout le personnel si l'on ne retrouvait pas le siège. Ce serait probablement pire que le jour où, s'approchant pour remplir le verre de vin de la reine-mère lors d'un banquet, il en avait renversé la moitié sur ses genoux. Oh ! oui, il fallait absolument retrouver le tabouret !

Mais le tabouret demeura introuvable et on ne put rien faire pour apaiser la reine-mère ce soir-là. Essayant de lui venir en aide. Sa Majesté suggéra de faire apporter des cuisines une petite caisse ou un carton, mais la reine-mère jugea cette proposition si inadaptée que personne n'osa en émettre une autre. Elle passa les quarante-cinq minutes qui suivirent immobile sur sa chaise, regardant droit devant elle. Elle était atrocement mal installée et, comme elle l'avait prédit, ses chevilles enflaient.

Lorsqu'à la fin du repas, son page l'aidait à se lever, la reine-mère était fort malheureuse.

– Je rentre chez moi, annonça-t-elle. Veuillez m'excuser mais je souffre affreusement!

Elle ignorait toujours où était passé son cher tabouret et estimait que le moins que sa fille pût faire si elle devait continuer à assister à ces interminables banquets, c'était de veiller à satisfaire une requête aussi simple qu'un tabouret sous la table.

– Ramenez-moi! ordonna la reine-mère à son page. Ce soir, je ne reste pas pour les liqueurs.

L'affaire du tabouret demeura un mystère jusqu'à ce qu'on le retrouve par hasard deux mois plus tard derrière un tableau dans l'une des remises du sous-sol. Il n'était certainement pas arrivé là tout seul.

La soirée fut cependant marquée par un événement plus important que la présence du sultan d'Oman, la disparition du tabouret de la reine-mère ou l'agacement de Sa Majesté espionnée par Michael Parker. Pour la première fois dans l'histoire, il y eut ce jour-là au palais de Buckingham trois « hommages » rendus au lieu de deux : de la reine d'Angleterre au sultan d'Oman, du sultan à la reine, et de Mr. John Humphrey à la responsable adjointe des femmes de chambre.

6

On était au début du mois de décembre et le roi des îles Tonga devait arriver dans trois jours pour une audience privée avec la reine. Il lui avait déjà souvent rendu visite. La plupart du temps, l'entretien portait sur les catastrophes naturelles qui semblaient affecter si fréquemment ce petit archipel du Pacifique Sud. Parfois, le roi venait à Buckingham en qualité d'invité personnel de Sa

Majesté, comme ce fut le cas pour le mariage du prince et de la princesse de Galles.

On le sait, le monarque est un homme corpulent... très corpulent. Plus grand que Mr. Humphrey, plus large de poitrine que le chef royal, il pesait quelque cent quatre-vingts kilos et aucun fauteuil du palais ne pouvait accueillir des formes aussi amples. Sachant que le roi des Tonga s'asseyait dans un fauteuil fabriqué spécialement à son usage quand il assistait aux réunions de la Haute Commission des Tonga, nous demandâmes à l'emprunter pour l'audience avec la reine. On nous l'envoya le lendemain matin.

Le robuste siège aux allures de trône fut placé dans la salle d'audience privée de la reine, à côté de celui qu'elle occuperait pendant la réunion. On n'y pensa plus jusqu'à ce que le roi arrive comme prévu et soit accueilli par la reine. Tout alla bien pendant la demi-heure d'entretien, les deux monarques discutant des nombreux problèmes auxquels était confronté le peuple de ces îles misérables.

Lorsque Élisabeth II se leva pour prendre congé, un valet de pied s'avança pour conduire le roi à l'entrée principale, où l'attendait une voiture devant le ramener à la Haute Commission. Le souverain voulut se lever lui aussi mais s'aperçut qu'il ne pouvait bouger. Posant ses énormes mains sur les accoudoirs de son fauteuil, il tenta de s'en extirper, n'y parvint pas. Le domestique chargé de le mener à la voiture vint à son aide. Le roi ne réussit toujours pas à quitter son fauteuil. Debout près de lui, la reine observait la scène.

Elle suggéra au roi de faire appel à *deux* domestiques. Quelques instants plus tard, *trois* laquais s'affairaient autour du monarque, et la reine en appela un quatrième en renfort. Les jeunes garçons tirèrent sur les bras du roi sans pouvoir le faire bouger. Sa Majesté demanda alors à son page le plus ancien de venir à la rescousse. Deux laquais écartèrent les bras du fauteuil tandis que les deux autres, aidés par le page, tiraient sur les bras du roi en prenant appui sur les pieds du siège pour avoir plus de force. Les cinq hommes y mirent toute leur énergie. Dans un grand craquement, le roi des Tonga partit soudain en avant et tomba lourdement sur le tapis, devant la reine, avec deux des laquais.

On remit le roi debout, on l'épousseta. Sans dire un mot de l'incident, il sourit, prit congé de la reine et fut conduit à sa voiture. Le fauteuil, je suis navré de le dire, n'eut pas autant de chance et nous dûmes informer la Haute Commission des Tonga qu'il était en morceaux.

– Cela ne fait rien, me répondit un assistant quand je lui annonçai la mauvaise nouvelle. Depuis sa dernière visite à Londres, le roi a pris une trentaine de kilos. Nous nous attendions à avoir des ennuis.

Si les valets assurent que, pendant toute la bataille pour délivrer le roi, la reine n'eut pas même l'ombre d'un sourire, plus tard, dans l'intimité de ses appartements, elle se permit un grand éclat de rire en compagnie de sa famille.

Ses domestiques ne l'avaient jamais vue « couiner » d'aussi bon cœur.

7

Quelques jours seulement avant Noël, Tims nous avertit par téléphone qu'il descendait récupérer un bijou remis la veille à Mr. Humphrey. Apparemment, la duchesse de Welsham réclamait une broche de diamants retrouvée après un dîner privé avec Sa Majesté. Quand Tims arriva dans notre bureau, je le menai au coffre, bavardai aimablement avec lui en composant la combinaison. Je tournai la poignée, ouvris la porte et là, sous nos yeux, s'étalait un grand caleçon sale dont l'identité du propriétaire ne faisait aucun doute. Tims devint écarlate tandis que je cherchais la broche parmi les autres objets que contenait le coffre. Le bijou était introuvable; Tims sortit sans mot dire.

Un peu plus tard, Mr. Humphrey arriva de Windsor et j'abordai les deux sujets qui m'avaient fait m'interroger toute la journée. Premièrement, que faisait son caleçon – sale! – dans le coffre de la reine; deuxièmement, où était passée la broche de diamants de la duchesse de Welsham?

Humphrey était accompagné d'une Freddie Gentle qui le regardait d'un air extatique comme s'il était son rêve devenu réalité.

– Ouais, bien sûr que c'est mon caleçon, déclara-t-il sans la moindre honte. J'en ai toujours un en réserve.

– John, le coffre est-il réellement l'endroit où le ranger? Tims n'était pas du tout content quand il l'a vu.

– Qu'est-ce qui lui prend de fourrer son nez dans mes affaires personnelles? demanda l'obèse d'un ton soupçonneux.

Freddie gloussa en s'asseyant au bureau de son petit ami.

– Il cherchait la broche de diamants qu'on vous a remise après le dîner de Sa Majesté, hier soir. Elle appartient, semble-t-il, à la duchesse de Welsham, qui veut la récupérer.

– Ah! vraiment? Je ne me souviens pas qu'on m'ait remis une broche. De toute façon, c'est trop tard, maintenant. J'en ai fait cadeau hier soir à ma femme pour son anniversaire. Si la duchesse peut se permettre de perdre un beau bijou comme ça, elle ne mérite pas de le ravoir.

Freddie bondit de son fauteuil, jeta à Humphrey un regard blessé. Des larmes s'amassèrent dans ses yeux turquoise et elle se mit à sangloter. Comprenant qu'il avait commis une bourde, mon collègue tenta de la consoler mais elle ne voulut rien savoir. Son manteau de faux léopard à la main, elle se rua vers la porte en vagissant:

– Comment t'as pu me faire une chose pareille, John? Comment t'as pu faire ça?

– Oh ! ma petite rose rouge, ma petite rose rouge, lui cria-t-il. C'était juste un cadeau d'anniversaire. Je te l'ai dit, elle n'est plus rien pour moi. Plus rien, sincèrement.

Mais ses paroles consolatrices furent sans grand effet sur Freddie, qui sortit du bureau et dévala, ruisselante de larmes, le couloir du maître de la Maison Royale.

– Regardez ce que vous avez fait, maintenant, me lança Humphrey. Vous avez fait pleurer Freddie !

Il saisit sa veste, courut derrière sa maîtresse.

Vers dix heures et demie, ce soir-là, je regardai par la fenêtre de mon bureau au moment où je m'apprêtais à rentrer chez moi. Il commençait à neiger : Londres aurait peut-être quand même un Noël blanc. La reine et le duc partiraient le 23 pour le château de Windsor. Quant au Noël du Personnel, il avait eu lieu quelques jours auparavant. La fête annuelle avait été marquée par la bûche – c'était de circonstance – d'un vieux factotum qui, plein d'allégresse et de whisky, s'était étalé sur le tapis de la Salle d'Orléans en s'approchant de l'endroit où se tenait Sa Majesté. En lui remettant en cadeau un bon d'achat de huit livres, elle s'enquit poliment de ce qu'il avait l'intention d'acquérir avec cet argent.

– Une bouteille de scotch, répondit-il.

Comme elle lui demandait pourquoi il ne choisissait pas quelque chose de plus durable qui le ferait se souvenir d'elle, il assura d'un ton peu convaincant en soufflant sur la reine son haleine parfumée à l'alcool :

– Oh ! elle me durera éternellement, Majesté.

Pour le Nouvel An, la Cour se rendrait à Sandringham House, dans le Norfolk, où la famille royale resterait jusqu'en février, puis le cycle annuel se répéterait.

Il se faisait tard lorsque je descendis l'escalier de marbre, franchis l'entrée principale et souhaitai bonne nuit au policier du palais, déjà profondément endormi. Je sortis du parc, et comme je traversais le Mall faiblement éclairé, je me retournai vers le palais de Buckingham et l'imposante statue dorée de la reine Victoria.

A chaque jour suffit sa peine, pensai-je et je me demandai quelle excuse Mr. Humphrey inventerait au sujet de la broche de diamants de la duchesse de Welsham.

J'espère en tout cas, me dis-je, qu'il n'oubliera pas de changer de sous-vêtements...

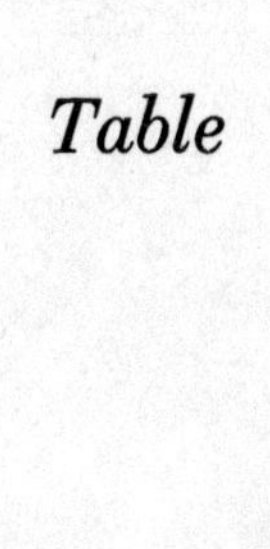

Table

Cet ouvrage a été réalisé par la
SOCIÉTÉ NOUVELLE FIRMIN-DIDOT
Mesnil-sur-l'Estrée
pour le compte des Presses de la Cité
en mai 1991